Operatie
ondergronds

Corien Oranje

Operatie ondergronds

Top Secret
deel 2

Met illustraties van
Roelof van der Schans

Callenbach

© 2003, Uitgeverij Callenbach – Kampen
illustraties Roelof van der Schans
omslagontwerp Bas Mazur
layout/dtp Gerard de Groot
ISBN 90 266 1197 8
NUR 282/283

HOOFDSTUK 1.

'Wat doen we met de meiden?' zegt Nathan. 'Volgens mij is dat de grote vraag vanmiddag. Mogen ze lid worden of niet?'

'Hou alsjeblieft op,' zucht Robin. 'Meiden bij de Misdaadmonsters. Ik moet er niet aan denken!' Hij schudt zijn hoofd, trekt zijn neus op en rilt alsof iemand een groot bord spruitjes voor zijn neus heeft gezet.

'Hij is bang dat ze verkering met hem willen,' zegt Tim. Hij slaat zijn beide armen stevig om Robins nek heen. 'O, Robbie! Zullen we samen boeven vangen! Houd me vast, lieve Robbie! Anders vind ik het eng!'

'Doe niet zo belachelijk!' roept Robin boos. Hij worstelt zich onder Tims omhelzing uit, legt hem met een zwaai op de grond en neemt hem in een armklem die hij net op judo heeft geleerd.

'Laat me los, Robbie!' roept Tim met een hoog stemmetje. 'Mijn arme arm! Au!'

'Ja, laat hem even los, Robin,' zegt Nathan. 'We zijn aan het vergaderen. Niet aan het armpjes breken. Hoe goed je dat ook kunt.'

Robin laat met tegenzin Tims arm los en gaat weer naast hem op de bank zitten. 'Ik ben er tegen,' zegt hij nors. 'Geen meiden bij de Misdaadmonsters. Dat is nergens goed voor.'

'Van mij zouden ze eigenlijk best lid mogen worden,' zegt Nathan.

'Ik vind het ook niet zo'n probleem,' zegt Arco.

'Ja, jullie hebben makkelijk praten,' zegt Robin somber. 'Op jullie vallen de meisjes niet. Ik ben altijd de klos.'

Nathans zus Lisa steekt haar hoofd om het hoekje van de deur. 'Ik zal je wel even helpen, Robin!' zegt ze. 'Wacht even, dan haal ik een schaar en een spuitbus met oranje verf van beneden. Dat lange zwarte haar van jou moet er maar eens af. Dat staat veel te stoer.' Met half dichtgeknepen ogen tuurt ze naar Robin. Ze knikt nadenkend. 'Ja... Ik zie het al helemaal voor me! Ik knip je haar in hetzelfde brave model als Nathan heeft. En dan spuit ik het ook nog in diezelfde prachtige kleur oranje. Wedden dat je nooit meer last van meisjes hebt?'

'Heb jij weer staan afluisteren, Lisa-Pisa!' roept Nathan verontwaardigd. 'Kun je niet lezen wat er op de deur staat? VERBODEN TOEGANG VOOR ONBEVOEGDEN! En jij bent dus een onbevoegde! Begrijp je?'

'Afluisteren? Dacht je soms dat het zo interessant is wat jullie bespreken!' zegt Lisa verontwaardigd. 'Jullie maken gewoon zoveel lawaai dat we het beneden helemaal kunnen volgen! Misschien is het een ideetje om de deur dicht te doen? En een beetje te fluisteren? Pffff! Wat een spionnenclub! Jullie jagen alle misdadigers in de wijde omtrek weg met dat geruzie over meisjes! Moeten jullie die sinas en chips nog, of zal ik het maar weer mee naar beneden nemen?'

'Nee, geef maar hier,' zegt Tim haastig. Hij pakt het blad met drinken, bekers en chips van haar over en zet het op een wankel tafeltje. 'Hé, bedankt Lisa. Hartstikke aardig van je!'

'Als jij maar te eten krijgt vind je iedereen aardig,' bromt Nathan. 'Jij zou zelfs de heks van Hans en Grietje aardig vinden als ze je vetmestte.'

'Misschien wel,' zegt Tim terwijl hij de zak met chips openscheurt. 'Als ze me lekker eten zou geven, zou ik het helemaal niet zo erg vinden. Een huisje van peperkoek... Ik ben altijd al benieuwd geweest hoe dat smaakt.'

Nathan en zijn vrienden Arco, Robin en Tim zitten met z'n vieren in hun hoofdkwartier, een klein zolderkamertje boven in het grote huis waar de familie Van der Heide woont. Het oude dienstbodekamertje onder het schuine dak is een ideale schuilplaats, waar de Misdaadmonsters altijd ongestoord kunnen vergaderen. Als Lisa zich tenminste een beetje gedraagt. Vanmiddag hebben ze een lastig probleem te bespreken. Janneke en Marieke, twee meisjes uit hun klas, hebben gevraagd of ook ze lid mogen worden van de spionnenclub.

'Ze hebben wel bewezen dat ze goed kunnen spioneren,' zegt Nathan. 'We hebben helemaal niet doorgehad dat ze ons afluisterden en achtervolgden. We hebben al die tijd gedacht dat het Jan-Henk en Karel waren die achter ons aan zaten.'

'Daar hoeven we ze toch niet voor te belonen!' roept Robin. 'Als het Jan-Henk en Karel waren geweest, had je die dan soms ook lid willen maken?'

'Alsjeblieft niet!' zegt Nathan. 'Als zij lid zouden worden, zou ik eraf gaan!'

'Nou dan! Die meiden zijn toch geen haar beter!'

'P-precies! S-smerige s-spionnen, dat zijn het!' roept Tim met zijn mond vol chips.

'Hé, sputter niet zo in m'n gezicht, vies varken!' zegt Robin. 'Heb je thuis nooit geleerd om je mond dicht te houden als je eet?'

'Ik niet!' zegt Tim, terwijl hij nog een grote hand chips pakt. 'Mijn moeder doet niet zo moeilijk!'

'Ik kan me niet voorstellen dat ze het lekker vindt als jij de aardappels in haar gezicht sputtert!'

'Ik heb haar nog nooit horen klagen,' zegt Tim en hij houdt Robin de zak voor. 'Neem zelf ook een handje!'

'Nee dank je,' zegt Robin. 'Als ik naar jou kijk en mijn mond openhoudt, krijg ik de chips vanzelf binnen, zonder dat ik er wat voor hoef te doen.'

'Je hoeft zelfs niet eens meer te kauwen!' grinnikt Nathan. 'Weet je, ik zal wel aan mijn moeder vragen of ze de volgende keer toffees wil kopen. Dan plakken Tims tanden zo op elkaar dat hij niet meer met zijn mond open kan eten.'

'Of we naaien zijn mond dicht,' bedenkt Arco. 'Dat doen ze ook wel eens met mensen die veel te dik zijn. Dan kunnen ze alleen nog door een rietje milkshakes naar binnen zuigen.'

Tim kijkt gepijnigd. 'Milkshakes vind ik prima, maar als er iemand met een naald en draad in de buurt van mijn mond komt, dan

krijgt 'ie een flinke oplawaai! Mijn mond dichtnaaien! Stel je voor.'
Hoofdschuddend stopt hij zijn mond vol met chips.
'Maar over die meiden gesproken,' zegt Robin. 'We zijn er nog steeds niet uit.'
'Het zou hier natuurlijk wel een beetje vol worden,' zegt Arco, terwijl hij om zich heen kijkt. 'Het is hier niet zo heel groot.'
'Dat is wel zo,' zegt Nathan. 'Eigenlijk is het nu al vol.'
'En het zou nog meer lawaai zijn,' zegt Tim. 'Helemaal niet leuk voor je vader.' Nathans vader, die dominee is, heeft zijn studeerkamer op de eerste verdieping.
'En weet je, misschien wil Lisa dan ook wel lid worden!' zegt Robin slim.
Nathan kijkt gekweld. 'Nee hè!' kreunt hij. 'Het is al zwaar genoeg om met Lisa in één huis te wonen. Stel je voor dat ze lid wil worden. Dan zit ik dag en nacht met haar opgescheept.'
'Zie je wel?' zegt Robin. 'Het is niks om meisjes lid te laten worden. Daar hebben we alleen maar last van.'
'Misschien heb je wel gelijk. Maar aan de andere kant – Janneke en Marieke hebben echt hun best gedaan. Ze zijn best wel goed, volgens mij. Kunnen we niet iets bedenken om ze op de een of andere manier mee te laten doen? De Misdaadmonsters in tweeën splitsen bijvoorbeeld? Een jongensafdeling en een meisjesafdeling?'
'Ja, Robin, en dan mag jij bij de meisjes!' zegt Tim. 'Dan krijgen we vast heel veel leden op de meidenafdeling! Help!' Hij kan nog net wegspringen voordat Robin hem te grazen kan nemen.
'Misschien is het wel wat,' zegt Arco. 'Dan kunnen we samenwerken als we willen. En we kunnen ook gewoon dingen apart doen, zonder meisjes erbij.'
'Maar wij blijven de baas,' zegt Robin.
'Natuurlijk!' zegt Nathan. 'En de meisjes moeten ook allebei een toelatingsproef doen natuurlijk. Ze kunnen natuurlijk niet zomaar lid worden van onze onderafdeling!'
De jongens knikken. Zelfs Robin ziet wel wat in het idee. 'Maar

het moet wel een goeie proef zijn. Een gevaarlijke.'

'Precies,' zegt Tim. 'We gaan ze niet matsen omdat ze toevallig meiden zijn!'

HOOFDSTUK 2.

T erwijl de jongens aan het vergaderen zijn, wordt er een eindje verderop in de enige sportschool die het dorp rijk is hard gezwoegd. Een paar dikke oudere vrouwen zijn op hometrainers aan het fietsen. Hun gezichten zijn rood en hun T-shirts zijn zo nat van het zweet dat het wel lijkt of ze met kleren aan onder de douche zijn geweest. Een magere man is aan het hardlopen op een loopband. Een paar meisjes zijn aan het trainen op de roeiapparaten. Er klinkt harde muziek.

In de hoek met de gewichten zijn twee mannen bezig. De jongste van de twee ligt op een zwart bankje en pakt een zware halter vast. 'Wat is dat nou, Mat?' zegt de man die achter hem staat. 'Negentig kilo maar? Dat is toch niks! Toen ik zo jong was als jij tilde ik met gemak honderdvijftig!'

Mat geeft geen antwoord. Hij sluit zijn ogen en met inspanning van al zijn krachten duwt hij de halter de lucht in. Zijn armspieren zwellen op. Na een paar seconden laat hij de halter weer zakken.

'Kom op, tien kilo erbij,' zegt de oudere man, die in politiekringen bekend staat als Kale Carlos. Hij schuift twee gewichten aan beide kanten van de halter en zet ze vast. 'Zo. Honderd kilo. Dat begint er op te lijken, ook al is het nog niet veel. Maar waar ik je voor nodig heb – we zijn er bijna.'

'We zijn er bijna?' zegt Mat vragend. Met beide handen pakt hij de halter stevig vast.

'Ja, precies. Misschien dat de jongens nog een week nodig hebben, maar dan zijn we waar we wezen willen. Zorg dat je er vannacht bij bent. Twee uur. Vaste plaats.'

Mat kijkt strak voor zich uit en antwoordt niet. Hij tilt de halter op en drukt hem drie, vier keer de lucht in, alsof het hem geen enkele moeite kost. Dan legt hij hem terug en gaat zitten. Hij veegt het zweet van zijn voorhoofd en kijkt Carlos aan. 'Ik kom niet.'

Carlos peutert in zijn oor. 'Ik geloof dat ik mijn oren moet laten uitspuiten. Ik dacht even dat je zei dat je niet zou komen.'

'Precies. Ik kom niet. Ik doe niet meer mee. Ik heb nu een vrouw en een kind. Ik wil mijn geld voortaan eerlijk verdienen.'

'Jij wilt je geld eerlijk verdienen?' grinnikt Carlos. 'Man, je hebt niet eens werk! Je verdient helemaal geen geld! Dat doet dat aardige vrouwtje van je! Heb je dan helemaal geen gevoel van eer? Als je een vent bent, dan doe je die klus voor me. Dan kun je weer eens trots zijn op jezelf.'

'Ik heb jouw klusjes niet nodig om trots te kunnen zijn op mijzelf,' zegt Mat. 'En wie zegt dat voor een kind zorgen geen werk is!'

'Ach man, schiet toch op! Voor een kind zorgen! Flessen geven en poepluiers verschonen! Trouwens, denk jij maar niet dat je die klus kunt weigeren. Je weet toch hopelijk nog wel wat je aan me te danken hebt? Jij doet dat karweitje voor mij, en daarmee uit. Anders...'

'Anders wat?' vraagt Mat. 'Dacht je dat je mij wat kon maken? Ik heb genoeg informatie over jou waar de politie erg blij mee zou zijn.'

'Ik heb geen vrouw en geen kind,' antwoordt Carlos. Mat kijkt hem aan en ziet de harde blik in Carlos' ogen. Hij zucht. 'Goed. Ik help je nog één keer. De allerlaatste keer.'

Op dat moment komt een van de trainers aangelopen voor een praatje. 'Hé, Mat! Hoe gaat 'ie?'

'Hé Charly! Prima!'

'En hoe is het met jou, Carlos? Moet jij niet trainen? Ik zie je de laatste weken alleen maar een beetje heen en weer lopen. Zo wordt het niks met die conditie van jou. Of ben je soms bang dat de krul uit je snor zakt als je je inspant!' Tot Carlos' verbijstering knijpt de trainer hem in zijn bovenarm. 'Ik kan niet eens voelen waar je armspieren zitten! Kom op, pak ook een halter!' Met één hand haalt Charly een kleine halter uit het rek en geeft die aan Carlos. 'Hier, dit is wel wat voor jou. Een dameshaltertje. Tien kilo. Prima om mee te beginnen.'

Carlos mompelt een lelijk woord in zijn snor. 'Met het verkeerde been opgestaan vandaag?' grijnst Charly. Hij draait zich om en loopt naar de hometrainers toe om de fietsende vrouwen eens aan te moedigen. Carlos kijkt hem woedend na.

HOOFDSTUK 3.

'**I**k heb een idee, jongens,' zegt Robin een paar dagen later, als de Misdaadmonsters in hun hoofdkwartier aan het vergaderen zijn. 'Ik heb een goeie toelatingsproef bedacht voor Janneke en Marieke.'

'Wat dan?' zegt Nathan.

'Nou, je supersoaker is laatst toch afgepakt? Door die vent van de begraafplaats?'

Nathan knikt verontwaardigd bij de herinnering. Een paar weken geleden, toen hij en Arco samen over de begraafplaats slopen op weg naar hun geheime hut, liet de beheerder van de begraafplaats zijn pitbull los op Jaro, de hond van Nathan. Nathan probeerde de twee honden uit elkaar te trekken, maar dat lukte niet. Het had helemaal verkeerd kunnen aflopen als Arco Nathans supersoaker niet had gehad. Hij had de twee vechtende honden met een flinke straal water uit elkaar gejaagd. De beheerder van de begraafplaats was zo boos op de jongens dat hij de supersoaker had afgepakt.

'Hartstikke oneerlijk was het!' zegt Nathan. 'We deden helemaal niks! En als Arco mijn supersoaker niet had gebruikt, dan was Jaro misschien wel doodgebeten!'

'En jij denk ik ook!' zegt Tim.

'Jaja, Tim, dank je wel. Maar wat hebben Janneke en Marieke daarmee te maken?'

'Dat snap je toch wel!' roept Tim. 'Die meiden kunnen die vent mooi in elkaar slaan! Oké!' Hij steekt zijn duim in de lucht.

Robin zucht. 'Doe niet zo raar Tim. We gaan de meisjes toch niet vragen om iemand in elkaar te slaan! Nee, ik heb een beter idee. Zij moeten de supersoaker terugroven.'

De supersoaker terugroven! De jongens kijken elkaar aan. Dat is helemaal niet zo'n gek idee van Robin. Als het lukt, heeft Nathan zijn supersoaker terug. En als het niet lukt – dan is het bewijs geleverd dat meisjes niet geschikt zijn om bij de Misdaadmonster te horen.

'Zal ik ze bellen?' zegt Tim. Hij pakt zijn mobieltje uit zijn rugzak.

Robin knikt. 'Vraag ze maar of ze hierheen komen. Dan zullen we vertellen wat hun toelatingsproef is.'

Tim is al aan het bellen. 'Hallo?...' zegt hij met zware stem en dichtgeknepen neus. 'U spreekt met um... een onbekende.... Nee, sorry, ik kan mijn naam niet zeggen! Ik moet onmiddellijk uw dochter spreken!!... Hoezo niet?... Ja, hallo! Ik weet ook niet of u te vertrouwen bent, maar dat zeg ik ook niet tegen u!'

Tim legt zijn telefoon neer en schudt zijn hoofd. 'Onbeleefde moeder heeft Janneke, zeg! Ze heeft zomaar neergelegd!'

'Laat mij maar even, Tim,' zegt Robin. Hij pakt Tims mobieltje en drukt op OK. Hij knipoogt naar zijn vrienden als de telefoon wordt opgenomen. 'Goedemiddag, mevrouw Herrebout!' zegt hij met zijn beleefdste stem. 'Met Robin spreekt u. Is Janneke misschien in de buurt?... Ha, Janneke. Je spreekt met de voorzitter van de toelatingscommissie van de Misdaadmonsters. Als Marieke en jij willen weten wat jullie moeten doen, moeten jullie meteen naar Nathans huis komen... Ja?... Oké, tot zo!'

Tims mond zakt open van verbazing. 'Waarom kreeg jij Janneke wel te spreken en ik niet?'

Arco grinnikt. 'Wat denk je nu zelf, Tim!'

'Discriminatie, dat is het!' zegt Tim verontwaardigd.

'Geachte dames!' zegt Robin, als de meisjes een half uur later zijn aangekomen en naast elkaar op het oude bankje zijn gaan zitten, vol spanning over wat hun opdracht zal zijn. 'We hebben een toelatingsproef voor jullie bedacht. Een opdracht om uit te vinden of jullie geschikt zijn om lid te worden van de Misdaadmonsters.'

'Een heel gevaarlijke opdracht!' zegt Nathan.

'Waarvoor je je in het hol van de leeuw moet wagen,' zegt Arco.

'En als het jullie niet lukt, dan kunnen jullie geen lid worden!' zegt Tim.

'Nou, komt er nog wat van?' vraagt Janneke ongeduldig.

'Kennen jullie de beheerder van de begraafplaats nog?' zegt Robin.

'Zeker weten!' zegt Marieke. 'Dat is die vent die z'n pitbull op ons afstuurde toen we jullie vanaf de begraafplaats aan het bespioneren waren! Die man met die krulsnor! Hoezo?'

'Nou, hij heeft Nathans supersoaker afgepikt. Jullie gaan hem morgenmiddag terughalen.'

'TERUGHALEN!' roept Janneke. 'Zijn jullie nou helemaal van de ratten besnuffeld!'

'Waar ligt dat ding dan?' vraagt Marieke.

'We denken in zijn kantoortje.'

Janneke en Marieke kijken elkaar aan. 'Dus we moeten inbreken en die supersoaker stelen?'

'Nou nou, stelen...' sust Robin. 'Het is Náthans supersoaker hoor. Als er iemand gestolen heeft, dan is het die vent van de begraafplaats. Als jullie de supersoaker bij hem terughalen, dan is dat geen stelen. Dan is het juist een misdaad oplossen.'

'Ik weet het niet,' aarzelt Marieke. 'Mag je iets dat gestolen is gewoon terugstelen? Nathan, jouw vader is dominee. Jij moet het weten.'

'Hoezo!' vliegt Nathan op. 'Mijn vader is dominee, ík niet! Ik weet van niks!'

'En is het niet een beetje gevaarlijk?' Janneke trekt een diepe frons in haar voorhoofd. 'Die man heeft een pitbull!'

'Zeg, als jullie van die bangeschijters zijn, het hóeft niet hoor,' zegt Robin. 'We willen jullie echt niet dwingen om lid te worden.'

Marieke kijkt hem vernietigend aan. 'Wij zijn geen bangeschijters! We denken alleen na over hoe we het aan moeten pakken! Ga mee, Jan. We gaan een plan bedenken.'

'Als ik heel eerlijk ben,' zegt Nathan als de meisjes weer weg zijn, 'vind ik het wel een beetje gevaarlijk als Janneke en Marieke dat samen moeten doen. Die man wordt zo gauw kwaad. En die hond van hem is ontzettend vals. Misschien moeten we ze toch een beetje helpen. Robin, als jij nou eens een praatje zou gaan maken met die man, dan zouden Janneke en Marieke ondertussen dat kantoortje in kunnen gaan en de supersoaker er weg kunnen halen.'

'Ik een praatje maken met die vent!' vliegt Robin op. 'Om de meiden te helpen? Zo graag wil ik nou ook weer niet dat ze lid worden.'

'Oké, Robin durft niet,' concludeert Nathan. 'Nou, dan moet jij het doen, Tim. Je gaat naar die beheerder toe en lokt hem uit zijn kantoor.'

'Ik?' roept Tim. 'Hallo zeg! Denk je nou echt dat ik ga praten met die kale dikzak? Ik kijk wel uit! Ik heb gezien hoe dat ging! Voor ik het weet heb ik die geflipte hond aan mijn broekspijpen hangen! Waarom doe je het zelf eigenlijk niet?'

Nathan steekt zijn handen in de lucht. 'Dat snap je toch zeker wel! Die vent kent mij. En Arco kent hij ook. Als hij ons ziet, slaat hij helemaal op tilt! Dan lukt het Janneke en Marieke nooit om in te breken!'

'Ik heb het!' zegt Arco. 'Een interview! We maken een vragenlijst. En dan ga jij hem interviewen, Tim. Voor de schoolkrant. Daar moet hij wel aan meewerken! En dan hebben Janneke en Marieke de tijd om in dat kantoortje de supersoaker te pakken.'

Tim denkt na. Een interview – dat is eigenlijk best een leuk idee. Die man van de begraafplaats weet toch niet dat hij bevriend is met Nathan en Arco. En misschien is het wel heel interessant om een beheerder van een begraafplaats te interviewen. Een goeie oefening voor later, voor als hij voor het tv-journaal werkt. Hij knikt. 'Oké. Ik doe het. Maar jullie moeten wel in de buurt blijven.'

'Natuurlijk,' zegt Arco. 'Wij gaan in die boom zitten vlak bij de begraafplaats. Als jij ervoor zorgt dat je die vent die kant op lokt, dan kunnen wij alles horen. En dan kunnen wij je helpen als het nodig is. We nemen gewoon onze blaaspijpjes mee.'

'En dan nemen we gehaktballetjes mee in plaats van pijltjes!' zegt Nathan. 'Als die hond je wil pakken, schieten we gehaktballetjes naar hem toe! Ik wed dat hij dat lekkerder vindt dan die magere benen van jou! Kom op, we moeten aan het werk. Je moet wel goeie vragen hebben als je zo'n interview wilt houden. Anders heeft die man je gelijk door!' Uit de studeerkamer van zijn vader haalt hij papier en een pen, en met z'n vieren bedenken de jongens vragen die Tim zou kunnen stellen aan de beheerder.

Hoe heet u?

Hoe oud bent u?

Waar komt u vandaan?

Hoelang duurt het voor je zo'n snor hebt?

En moet er ook gel in?

Vindt u het leuk om op een begraafplaats te werken?

En wat is er dan zo leuk aan?

Wat hebt u voor hond?

Is het een lief beest?

Wat eet hij?

Moet hij geen muilkorf?

'Als het een leuk interview wordt, kun je het echt in de schoolkrant zetten,' zegt Nathan. 'Hartstikke interessant! Zie je het zitten?'

Tim knikt. Dit is echt een kolfje naar zijn hand. 'Tuurlijk. Laat mij mijn gang maar gaan! Het komt helemaal in orde!'

HOOFDSTUK 4.

Z elfs zijn eigen moeder zou Tim niet herkennen als hij de volgende middag met Janneke en Marieke naar de begraafplaats fietst. Hij heeft zijn krullen met water natgemaakt en daarna met gel achterover gekamd tot een zo braaf mogelijk kapsel, en met een net shirt aan ziet hij eruit als de droom van iedere schoolmeester.

'Dus ik lok hem weg uit zijn kantoor, en dan gaan jullie inbreken!' drukt hij de meisjes nog een keer op het hart.

'Jaja, dat weten we nu wel,' zegt Janneke.

'En als ik tweemaal hoest...'

'...dan dreigt er gevaar,' vult Marieke aan. 'Ja, dat heb je ook al drie keer gezegd.'

'Nou, een beetje dankbaarder mag ook wel hoor,' moppert Tim. 'Toen ik lid wilde worden was er niemand die mij hielp! Ik moest alles alleen doen!'

'Maar jij hebt toch ook niks gevaarlijks gedaan?' zegt Marieke. 'Jij hebt alleen maar die stinkbommetjes in de meisjes-wc's gegooid.'

'Hoe weet jij dat nou weer!' zegt Tim stomverbaasd.

Marieke lacht geheimzinnig. 'Tja... we hebben zo onze bronnen...'

Als ze zijn aangekomen bij de begraafplaats, verstoppen de meisjes zich achter de heg. Tim staat bij het hek, en probeert zich, voordat hij het pad naar het kantoortje oploopt, nog een keer in te leven in zijn rol. 'Ik ben de braafste jongen uit de klas...' mompelt hij met gesloten ogen, zijn vingers tegen zijn slapen gedrukt. 'Ik ben het lievelingetje van meester Verhoef... Ik zit in de redactie van de schoolkrant... Ik haal altijd hoge cijfers... Ik blijf iedere dag na om de meester te helpen... Ik zorg in de vakantie voor de goudvissen van school...'

Wanneer Tim even later met bloknoot en pen in de hand bij het

beheerderkantoortje aankomt, voelt hij zich branden van ijver en braafheid. Hij is zelfs niet eens zenuwachtig meer als hij aanbelt. Er klinkt luid geblaf vanuit het kantoortje, en na een poosje gaat de deur op een kier. Een man met een enorme, gekrulde snor kijkt om het hoekje.

'Ja?' informeert hij onvriendelijk, terwijl hij zijn hond aan zijn halsband tegenhoudt.

'Goedemiddag meneer,' zegt Tim beleefd. 'Ik ben van de schoolkrant. Wij interviewen mensen over allerlei beroepen. Zou u ook willen meewerken aan ons interview?'

De man duwt met zijn elleboog de deur wat verder open en neemt een trek van zijn sigaar. 'Hoor jij soms bij die snotapen die hier een paar weken terug aan het klieren waren?' vraagt hij argwanend.

'Hoe bedoelt u?' vraagt Tim. De blauwe ogen achter het ronde brilletje staan onschuldig en verbaasd. 'Ik hoopte alleen maar dat u ook mee zou willen doen aan ons project.'

De man neemt hem van hoofd tot voeten op. Kennelijk weet hij niet hoe hij deze beleefde jongen kan afschepen. 'Vijf minuten dan. En geen seconde langer. Ik heb meer te doen,' gromt hij, terwijl hij op zijn horloge kijkt. Hij doet zijn hond een riem om, stapt naar buiten en gooit de deur achter zich dicht. 'Nou. Zeg op. Wat wou je weten?'

Tim denkt even na. 'Nou, ik heb een heleboel vragen, eerlijk gezegd. Kunnen we misschien daar op dat bankje gaan zitten?' wijst hij. 'Anders kan ik niet schrijven.'

De beheerder zucht vermoeid alsof Tim hem heeft gevraagd om dertig kilometer hard te lopen. 'Vooruit dan maar.' Hij dooft zijn sigaar tegen de muur van zijn kantoortje, stopt hem in de zak van zijn uniform, en loopt met zijn hond naar het bankje dat Tim heeft aangewezen. Tim loopt achter hem aan en gaat naast hem zitten. De hond zit er waakzaam bij en kijkt Tim aan alsof hij hem helemaal door heeft.

'Kom maar op. Eerste vraag,' gromt de beheerder.

'Hoe heet u?' vraagt Tim.

'Hoezo?' vraagt de beheerder achterdochtig. 'Waarom wou je dat weten?'

'Nou, gewoon. Dat moet je toch weten als je iemand interviewt,' zegt Tim.

'Ik zie niet in wat jij daarmee te maken hebt. Maar goed. Schrijf maar op. Jan de Vries.'

'Wat voor werk doet u hier?' vraagt Tim al schrijvend.

De beheerder denkt even na. 'Ik bewaak de boel hier. Zodat kleine snotapen zoals jij de boel hier niet kunnen vernielen.'

Tim kijkt vragend naar hem op.

'Er zijn kinderen die denken dat het hier een speeltuin is. Ik heb m'n handen er vol aan om alles weer te repareren. En om ervoor te zorgen dat het hier een plaats van rust blijft. Nog meer vragen? Mijn tijd is bijna om!'

'Ik zie dat u een mooie snor hebt...'

'En wat dan nog?' snauwt de beheerder. 'Heeft dat wat te maken met mijn werk?' Hij kijkt op zijn horloge en staat op. 'Ik moet weer aan het werk.'

'Nog één vraagje?' probeert Tim nog wat tijd te rekken. Hij kijkt op zijn blad met vragen. 'Uh, uw hond! Ja! Wat voor hond hebt u!' Hij hoopt van harte dat de meisjes de supersoaker al gevonden hebben en het kantoortje al weer uit zijn.

'Een waakhond!' zegt de beheerder nadrukkelijk. 'En die heb ik hier nodig ook!' Hij loopt terug in de richting van zijn kantoortje.

Tim hoest twee keer zo hard als hij kan om Janneke en Marieke te waarschuwen. Nog geen seconde later schiet de deur van het kantoortje open, en komen de twee meisjes naar buiten gespurt. Nero ziet de meisjes meteen. Hij begint te blaffen en trekt aan zijn riem. Janneke en Marieke rennen zo hard ze kunnen in de richting van de uitgang.

De beheerder komt achter ze aangehold, voortgetrokken door zijn hond. Tim blijft staan. Moet hij de meisjes te hulp komen of moet hij maken dat hij zelf in veiligheid komt?

'Hé! Tim!' hoort hij achter zich iemand roepen. Het is de stem van Nathan, die vanuit de boom alles gevolgd heeft. 'Snel! Hierheen! De meiden redden zich wel!'

Tim kijkt nog een keer om. Hij hoort de pitbull hard blaffen, maar ziet dat de meisjes sneller zijn dan de beheerder. Als hij zijn hond maar niet loslaat, kunnen ze wel ontsnappen. Hij kan nu beter zichzelf in veiligheid proberen te brengen. Als de beheerder terugkomt, zit hij in de val. Hij moet maken dat hij over het hek heen komt. Snel rent hij er naartoe en probeert er tegenop te klimmen. Maar de spijlen zijn te glad, hij krijgt er geen grip op. 'Hierheen, Tim!' roept Nathan nog een keer. 'Hierheen! Naar de boom! Wij hijsen je wel op!'
Tim kijkt om zich heen en rent in de richting van Nathans stem. De beheerder heeft inmiddels door dat hij de meisjes niet te pakken kan krijgen, en komt nu teruggehold, samen met zijn woedend blaffende hond. Terwijl het geluid steeds dichterbij komt, proberen Arco en Nathan Tim omhoog te hijsen vanaf een dikke tak die over de begraafplaats uitsteekt. Nathan ligt op zijn buik op de tak en reikt zo ver mogelijk naar beneden. 'Kom op, Tim! Pak onze polsen vast!'
'Pak hem, Nero!' horen de jongens de beheerder roepen. Nathan en Arco trekken met al hun kracht, maar zelfs een lichte jongen als Tim is zwaar als je hem aan je armen omhoog moet trekken. Eindelijk is Tim zo hoog dat hij de tak kan vastpakken. Hij slingert zijn benen er omheen, trekt zich op en zit naast de jongens, hoog boven de begraafplaats. 'We zijn hier nog niet veilig,' fluistert Nathan. 'Kom mee!'
Zo snel ze kunnen kruipen de jongens over de boomtak heen naar de veilige kant van het hek Ze laten zich snel van tak naar tak zakken, en springen dan op de grond. Op nog geen meter afstand staat de pitbull woedend naar hen te blaffen vanachter de spijlen van het hek. De beheerder komt aangehold. Hij is nogal rood en bezweet en hij ziet eruit alsof hij elk moment kan ontploffen.

'Jullie vieze, vuile opdondertjes!' hijgt hij. 'Ellendige ettertjes! Als ik jullie toch in m'n handen krijg! Het is dat er een hek tussen ons in zit. Want anders...' Hij legt zijn hand op de kop van zijn hond, die dreigend zijn tanden laat zien en een angstaanjagend gegrom laat horen. 'Nero weet wel raad met jullie als jullie nog één keer je gezicht laten zien op mijn begraafplaats! Maak dat je wegkomt, voor ik met mijn blote handen de spijlen van het hek uit elkaar trek! Want als ik jullie in m'n vingers krijg, dan zijn jullie nog niet jarig!'

HOOFDSTUK 5.

E en kwartier later zijn de jongens en Janneke en Marieke weer veilig terug in het hoofdkwartier. Vooral Tim is nog niet helemaal bekomen van de schrik. 'Ik dacht echt dat ik er geweest was,' zegt hij, terwijl hij op één been rondhinkt en Nathans broek probeert uit te trekken. 'Die rothond! Ik kon niet over dat hek heenkomen en ik dacht: zo meteen heeft hij me te pakken!' Hij trekt de spencer over zijn hoofd en gooit hem naar Nathan toe. 'Sorry, ik geloof dat je die kleren zondag niet naar de kerk aan kunt. Jullie hadden me beter niet in die boom kunnen hijsen!'

Nathan haalt zijn schouders op. 'Die vlekken krijgt mijn moeder er wel weer uit. Ze is het gewend. Volgens mij had die broek er erger uitgezien als we je niet hadden opgehesen. Ik denk dat er dan een groot stuk uit gebeten zou zijn.'

'En ook een stuk uit mijn achterwerk waarschijnlijk,' zegt Tim. Hij huivert en trekt zijn eigen broek weer aan.

'Wees maar niet bang,' zegt Robin. 'Ik kan mij niet voorstellen dat er iemand een hap uit jouw achterwerk zou willen nemen. Zelfs een hond die een week lang niks te eten heeft gehad is nog niet zo gek. Maar waarom hield jij die man niet wat langer aan de praat? We hadden zoveel vragen bedacht!'

'Hij was echt hartstikke chagrijnig, die vent,' zegt Tim. Hij woelt met zijn handen door zijn haar om het weer uit model te krijgen. 'Hij werd boos over iedere vraag. Zelfs toen ik naar zijn snor vroeg! En toen zei hij dat hij geen tijd meer had.' Hij richt zich tot Janneke en Marieke. 'Maar waarom duurde het zo lang voor jullie klaar waren! Had hij de supersoaker soms verstopt?'

'Nee. We zagen hem gelijk liggen bovenop een kast. Maar toen ik hem pakte, zag ik iets heel vreemds,' vertelt Marieke. Ze haalt de supersoaker tevoorschijn uit haar rugzak en geeft hem aan

Nathan. 'Er stond een deur half open en ik zag in een zijkamertje een hele berg aarde liggen.'

'Een berg aarde? Gewoon binnen in een kamer?' vraagt Arco.

'Ja. En allemaal puin. Heel vreemd. Toen zijn we maar even gaan kijken om de hoek van de deur. Gek joh! De vloer in dat kamertje was helemaal gesloopt. En ik zag dat er een heel diep gat gegraven was.'

'In de vloer?'

'Ja, gewoon in de vloer! Hoe vind je dat!'

'Nogal vreemd. Zag je misschien ook een schatkist liggen?' vraagt Nathan hoopvol.

'Nee, het was zo'n zootje daar met al die aarde overal, we konden niet eens in dat gat kijken. En toen dachten we: we moeten hier weg vóór die vent weer terugkomt. Maar toen was het dus al te laat. Gelukkig dat Janneke je hoorde hoesten en dat we het kantoortje nog uit konden komen. Anders hadden we in de val gezeten.'

'En mogen we nu lid worden?' vraagt Janneke. Ze kijkt Robin hoopvol aan.

'Uh, ja... nou ja, jullie hebben de supersoaker te pakken gekregen. Dus het zal wel moeten,' zegt Robin weinig toeschietelijk.

'Yes!' Janneke en Marieke slaan hun handen in de lucht tegen elkaar aan. 'Eindelijk!'

'Dan zijn jullie vanaf nu lid van de meidenafdeling,' zegt Arco.

'De meidenafdeling?' zegt Marieke teleurgesteld. 'Waarom kunnen we niet gewoon lid zijn?'

'Jullie zijn ook gewoon lid,' zegt Robin, 'maar dan van de meidenafdeling. En wij zijn lid van de jongensafdeling.'

'Dan moeten wij zeker allemaal suffe meisjesdingen doen,' zegt Marieke. 'Gestolen barbies opsporen en zo. Nee, dank je wel.'

'Welnee. Jullie moeten ook echte misdaden oplossen. Net als wij. En we kunnen samenwerken als we willen. Als we een echte heel gevaarlijke misdaad op het spoor zijn of zo. Dan kunnen we elkaar helpen. En we gaan zo nu en dan samen vergaderen en overleggen over dingen. En dan doen we wie de meeste misdaden oplost. Oké?'

De meisjes kijken elkaar aan. 'Dus we zijn wel echte Misdaadmonsters?'

De jongens knikken. 'Vanaf vandaag zijn jullie echte Misdaadmonsters,' zegt Robin plechtig.

'Hé!' roept Tim. 'Voor ze lid worden, moeten ze toch uh...'

Marieke en Janneke kijken elkaar aan en barsten in lachen uit. 'Een worm opeten?' zegt Janneke. 'Dacht het niet! Dat jij nou zo gek was wil niet zeggen dat wij het ook zijn!'

'We hebben trouwens geen tijd te verspillen!' zegt Marieke. 'We moeten een misdaad oplossen.'

'Een misdaad?' zegt Arco. 'Wat voor misdaad?'

'Nou, van dat gat in de grond! Je dacht toch niet dat die vent zomaar een gat in zijn kantoor graaft! Dat is een echte crimineel, zeker weten!'

De jongens kijken elkaar aan. 'Nou, of het nou een misdaad is, die jullie ontdekt hebben,' aarzelt Robin, 'daar ben ik nog niet zo zeker van.'

'Wij wel!' verkondigt Marieke stellig. 'Wie graaft er nou een gat in zijn kantoor! Dan ben je óf gek, óf een misdadiger.'

'Als jullie echt denken dat er iets aan de hand is, moeten jullie eigenlijk naar de politie,' zegt Robin.

'O ja?' vraagt Arco. 'En wat moeten ze dan tegen de politie zeggen? Dat ze een man kennen die een gat heeft gegraven in zijn kantoortje?'

'Ze zien ze aankomen!' zegt Nathan. 'Bij ons hebben ze pas de oprit opengebroken. Gewoon omdat er leidingen vernieuwd moesten worden onder de grond. Ik zou echt niet naar de politie gaan. Als ze horen dat Marieke en Janneke dat kantoortje zijn ingeslopen, gooien ze hén nog in de gevangenis, in plaats van die mister Pitbull!'

'Ik denk dat je gelijk hebt,' zegt Arco bedachtzaam. 'Die beheerder is natuurlijk een heel vervelende vent. En die hond van hem is niet te vertrouwen. En het is vreemd dat iemand in zijn eigen kantoor gaten aan het graven is. Maar dat hoeft natuurlijk niets te betekenen. Volgens mij is het veel beter als we zelf nog eens een kijkje nemen.'

Marieke en Janneke kijken elkaar aan. Ze knikken. 'Je hebt gelijk,' zegt Marieke. 'Naar de politie gaan kan altijd nog. Laten we eerst zelf nog maar eens gaan kijken of er wat aan de hand is. Stel je voor dat we de politie lastigvallen terwijl er niks aan de hand is!'

HOOFDSTUK 6.

D ie avond vindt er in het kantoortje van de oude begraafplaats een vreemde vergadering plaats. Vier mannen zitten
bij het schijnsel van een kaars om een tafel. Kale Carlos is een van
hen. Nero ligt aan zijn voeten, en doet zo nu en dan een oog
open. Het is warm en benauwd in het kantoortje, en het ziet er
blauw van de rook. De ramen en deur zitten potdicht.

'We moeten voortmaken. Ik begin hier teveel in het oog te lopen,'
zegt Carlos. 'De laatste dagen sluipen hier voortdurend van die
vervelende snotneuzen rond die indiaantje aan het spelen zijn of
hoe ze het ook maar noemen. Vandaag of morgen komt de politie
hier nog langs en dat zou niet echt prettig zijn. Hoe ver zijn jullie?'
Een van de mannen hijst zichzelf overeind in zijn stoel. Hij ziet
eruit alsof hij net door een schoorsteen naar binnen is komen vallen en ruikt alsof hij nog nooit van zeep heeft gehoord. 'Tsja, wat
kenne we segge, baas. Het gaat niet zo snel als we gehoopt hadde. We kenne hier niks met springstof doen. Alles mot met de
hand. Een vette tegevaller. Nog een paar dage.' Hij neemt een
trek van zijn sigaret en kijkt naar zijn maat. 'Wat dach jij, Geert?
Donderdag?'
De andere in het zwart geklede man neemt een slok bier en knikt
met een somber gezicht.
'Goed,' zegt de eerste man. 'Hou et maar op donderdag. As we
niks onverwachs meer tegenkomme, natuurlijk.'
'Nou, Mat, je hoort het,' zegt Kale Carlos terwijl de blauwe siga-
renrook uit zijn mond komt rollen. 'Donderdagnacht ben jij aan
de beurt.'
Mat kijkt alsof hij de drie mannen het liefst met hun koppen tegen
elkaar zou willen slaan maar ze daar te vies voor vindt. 'Ik heb
meer informatie nodig,' gromt hij.

Carlos pakt een blaadje papier en tekent met een potlood twee kruisjes en een lijn die het ene met het andere kruisje verbindt.

X kasteel

X kerk

'Hier ligt het kasteel,' wijst hij aan met zijn sigaar. 'En hier' – hij wijst op het andere kruisje – 'ligt de kerk. En deze lijn tussen het kasteel en de kerk is de ondergrondse vluchtgang. Die loopt helemaal onder het dorp door. Nou wordt die gang natuurlijk al tijden niet meer gebruikt. De meeste mensen weten niet eens meer dat hij hier loopt. Kijk, hiero, aan de kant van het kasteel, zit hij zelfs dichtgemetseld. De laatste bewoners waren waarschijnlijk bang voor onverwachte bezoekers.'

Carlos grinnikt. Hij neemt een trek van zijn sigaar en wijst dan naar het kruisje dat de kerk voorstelt. 'Hier, aan de kant van de kerk is de gang nog altijd open. Maar er is niemand die dat nog weet. Ik weet het toevallig omdat ik vroeger bevriend was met een van de zoontjes van de koster. Guus. Als jongens speelden we regelmatig in die gang. Ik was het eerlijk gezegd al helemaal vergeten. Maar toen ik in de nor zat, las ik in de krant dat kasteel Arenshorst een museum zou worden. En toen dacht ik eraan. Ik dacht: Carlos, als je je slag wilt slaan, dan ga je op een nacht via die gang naar het kasteel, en dan kies je alle schilderijen uit die je mooi vindt. Ben je in een keer binnen.

Maar ja, ik kon op dat moment natuurlijk niets doen met die informatie. Ik moest geduld hebben. En dat heb ik gehad. Vijf jaar lang. En mijn geduld is beloond, zoals je ziet. Toen ik vrijkwam, heb ik dit baantje op de begraafplaats kunnen krijgen.' Hij grijnst. 'Is het niet grappig dat de politie me hier zelf aan geholpen heeft? Als ze wisten op wat voor handige plaats ze me hebben gezet, zouden ze zichzelf voor de kop slaan. Maar ze vermoeden niets.

Ik heb me in de nor zo keurig gedragen dat ze allemaal zijn gaan denken dat Carlos een brave, oppassende burger is geworden.'
'Kun je wat duidelijker zijn?' zucht Mat. 'Ik begrijp niet waarom het zo handig is dat je hier werkt. Zou het niet handiger zijn als je in de kerk zou werken? Dan zou je die gang tenminste makkelijk in en uit kunnen!'
'Je hebt helemaal gelijk, Mat. Dat zou heel handig zijn. Maar dat is nou eenmaal niet zo. Maar wat is nou ons geluk?' Carlos tekent op de lijn een derde kruisje.

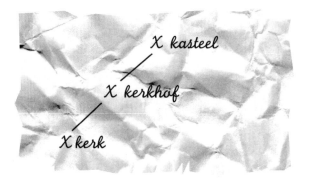

'Kijk, dit kruisje is het kerkhof. De geheime gang loopt dus precies onder de begraafplaats door. Is dat even mooi? Dus wat dacht ik? Ik dacht: Carlos, waar een wil is, is een weg. Als je bij het kasteel wilt komen, dan graaf je toch gewoon een gat? Als je maar lang genoeg graaft, kom je vanzelf in de geheime gang uit. Dus wat deed ik? Ik heb de jongens gewoon hier aan het werk gezet.'
Mat kijkt niet begrijpend. 'Hier aan het werk gezet?'
'Ja, om te graven. Het was natuurlijk een flinke klus en het geeft even wat troep, maar nu kunnen we ongestoord de gang in en uit.'
'Maar waar hebben ze dat gat dan gegraven?'
'Hiernaast,' wijst Carlos. 'In het archiefkamertje. Ze hebben de houten vloer eruit gehaald, het beton weggebikt en een paar meter naar beneden gegraven. Naar de geheime gang toe.'

Mat staat op en loopt naar het zijkamertje. Als hij de enorme berg puin en het gat in de vloer ziet, schudt hij zijn hoofd. 'Zoiets idioots heb ik nog nooit gezien. Graven in een kantoor van de gemeente. Wat doe je als er iemand komt kijken hier?'
'Dat gebeurt niet,' antwoordt Carlos op zijn meest stellige toon. 'Daar zorg ik wel voor!'

Mat gaat weer aan tafel zitten. 'Hoe wist je eigenlijk waar de jongens moesten graven? Hoe wist je dat die gang onder dit kantoortje doorliep? Of heb je soms een kaart?'
'Maar Mat toch,' zucht Carlos. 'denk je dat je een amateur voor je hebt? Natuurlijk heb ik een kaart. Ik wilde weten onder welke huizen en winkels de gang doorloopt. Wie weet waar we die informatie nog eens voor kunnen gebruiken.'
Hij neemt een trek van zijn sigaar, leunt achterover en blaast zorgvuldig een paar kringetjes omhoog. 'Ik had zelf het idee dat er op het gemeentehuis wel informatie zou zijn over de ondergrondse gang. In iedere gemeente zijn speciale kaarten waarop alle ondergrondse leidingen staan aangegeven. Gasleidingen, waterleidingen, televisiekabels, rioolpijpen. Zodat er niet per ongeluk een gasleiding wordt doorgesneden als er ergens een straat wordt opengebroken.'
Mat knikt.
'Ik had het idee dat op zo'n kaart ook de ondergrondse gang wel zou staan. En Geert en Janus hier zijn zo vriendelijk geweest om in het gemeentehuis in te breken en op zoek te gaan naar die kaart. Maar helaas, ze hebben niets kunnen vinden.'
'Nou, en die kompjoeter dan?' zegt Janus ineens. 'Die hadde we toch maar mooi te pakke baas!'
'De jongens dachten dat de informatie wel eens in de computer kon staan,' zegt Karel. 'En toen hebben ze het toetsenbord en het beeldscherm van de computer van de burgemeester meegenomen.'
'En de computer zelf?' vraagt Mat.

31

'Hebben ze laten staan!' Carlos schudt zijn hoofd. 'Geert dacht dat alleen het beeldscherm wel genoeg was, en Janus wist zeker dat alle informatie in het toetsenbord zat.'

'En dat is ook so!' zegt Janus. 'Bij mijn thuis tenminste wel!'

'Wel eens van een harde schijf gehoord?' vraagt Mat sarcastisch. 'Je weet wel, in dat kastje waar je je cd-rom met kleuterspelletjes indoet? Wat heb je nou toch voor een stelletje armzalige sukkels in de arm genomen, Carlos.'

Geert kijkt somber naar hem op terwijl hij zijn volgende shagje rolt. Maar Janus schiet boos overeind. 'Wat nou, sukkels! Wou je matte, vriend? Minkukel dat je d'r bent!'

'Geen geruzie hier,' zegt Carlos. 'Wat jullie na afloop van de kraak doen, mogen jullie zelf weten. Maar tot we hier klaar zijn, laten jullie elkaar heel.' Hij wendt zich weer tot Mat. 'Luister. Het heeft verder geen problemen gegeven. De politie denkt dat zo'n domme inbraak wel het werk van een paar baldadige schoolkinderen moet zijn geweest. Volgens mijn informanten laten ze de zaak rusten.'

'Maar hoe ben je dan aan die kaart gekomen?' vraagt Mat.

Carlos lacht. 'Je houdt het niet voor mogelijk. Ik ging naar de bibliotheek, en binnen tien minuten had ik een boek gevonden over de geschiedenis van het dorp. Oude foto's, herinneringen van bejaarde dorpsbewoners, dat soort onzin. En achterin zat een plattegrond van het dorp aan het begin van de vorige eeuw. Moet je eens kijken!'

Carlos haalt een rafelig blaadje tevoorschijn uit een la van zijn bureau. 'Kijk, dit is hem. Zie je hier die stippellijn lopen? Dat is de ondergrondse gang! Hadden we daar al die moeite voor gedaan! De informatie lag gewoon in de bibliotheek op me te wachten! Kom op, we gaan even naar beneden. Dan kun je zien hoe de gang eruit ziet. Hoever het is naar het kasteel en zo.'

Hij dooft zorgvuldig zijn half opgerookte sigaar en steekt hem in een zak van zijn uniform. Dan haalt hij uit een kast twee zaklantaarns en geeft er een aan Mat.

'Janus en Geert, gaan jullie maar voor,' beveelt hij.

Janus en Geert lopen naar het zijkamertje. Ze zetten een mijnwerkershelm op, doen het lampje aan, en verdwijnen achter elkaar in het donkere gat. 'Laat je een eindje naar beneden zakken, dan stuit je vanzelf op een ladder,' zegt Carlos tegen Mat.

Mat steekt zijn zaklamp in zijn achterzak en laat zich in het gat zakken. Met zijn voeten tast hij naar beneden, en eindelijk voelt hij hoe zijn voeten de bovenste spijl van een ladder raken. Hij pakt de ladder met zijn handen beet en daalt snel af naar beneden. Even later staat hij naast Janus en Geert in een donkere, lage gang die vol aarde en stukken cement ligt. Met zijn zaklamp schijnt hij rond. Ondertussen komt Carlos hijgend en puffend de ladder af. Als hij eindelijk beneden is, wist hij het zweet van zijn voorhoofd.

'Wat vind je ervan, Mat?' hijgt hij. 'Een prestatie van de jongens, vind je niet? Ze zijn hier toch wel een maand aan bezig geweest.'

Mat haalt zijn schouders op. 'Kenne we nou, baas?' vraagt Janus ongeduldig.

Carlos knikt, en Janus gaat voor de anderen uit. Na een kwartier loopt de gang ineens dood tegen een stenen muurtje. 'We zijn er,' fluistert Carlos tegen Mat. 'Hierachter is de kelder van het kasteel. Dit muurtje is het enige dat ons nog scheidt van een luxe leventje op de Bahama's. Werk ze, jongens.'

Zonder wat te zeggen pakken Janus en Geert hun beitels en hamers en gaan ze verder met het loswerken van de stenen.

Carlos en Mat gaan weer terug door de inktzwarte gang. Als ze bij de ladder zijn, draait Carlos zich om naar Mat. 'Ik weet dat je geen zin hebt in deze klus,' zegt hij met gedempte stem. 'Maar je ziet dat ik je nodig heb. Deze twee jongens hebben nou niet bepaald het buskruit uitgevonden. Voor de kraak zelf heb ik echt een vakman nodig. Stel me niet teleur, Mat. Je weet dat ik bijzonder gul kan zijn.'

Als Mat niet reageert, gaat Carlos verder: 'Maar ik kan ook een heel erg vervelende tegenstander zijn. Ik zou het bijzonder jammer voor je vinden als je vrouw en kind dat zouden moeten ondervinden. Het zou goed voor jullie alledrie zijn als je dat in je oren knoopte.'

HOOFDSTUK 7.

'Hé, Nathan,' zegt vader. Hij steekt zijn hoofd om het hoekje van de deur van Nathans slaapkamer. 'Wat ben je aan het doen?'

Liggend op zijn bed houdt Nathan het boek op dat hij aan het lezen is. Vader komt naar hem toe. 'Handboek voor den Jeugdigen Spion? Ben je dat aan het lezen? Stevige kost hoor!'

'Vet gaaf, pap,' zegt Nathan enthousiast. 'Het is nog van Tims opa geweest. Er staan allemaal goeie tips in. Over hoe je moet spioneren en boeven moet vangen.'

'Aha! En heb je al een boef op het oog?'

Nathan haalt zijn schouders op. 'Daar kan ik niks over zeggen, pap. Het is geheim!'

'Ik begrijp het,' zegt vader. 'Maar wat ik wou vragen, kun je me even helpen? Mama heeft vandaag een aanval van opruimwoede gehad. Er staan geloof ik wel twintig dozen oud papier in de gang. Ik wou ze gelijk maar even naar de kerk brengen, voordat ze op het idee komt dat er misschien nog wel wat leuks tussen kan zitten. Voor je het weet haalt ze alles weer overhoop.'

Nathan grinnikt. 'Ik kom meteen!' Hij springt op en gaat met zijn vader mee naar beneden. Samen laden ze de auto vol met dozen oud papier en rijden ze naar de kerk. Terwijl ze de dozen in de container gooien die op het kerkplein staat, komt Jan, de oude koster, de kerk uit.

'Zo dominee! Is de preek al af soms?'

Vader kijkt op. 'Ha, Jan! Nee, de preek is nog niet af. Maar als je de voordeur niet meer uitkunt, kun je beter eerst even wat anders doen!'

'Gelijk hebt u, dominee! En jij helpt je vader, Nathan? Mooi zo, jong. Zeg, als jullie toch bezig zijn... ik heb beneden in de kelder ook nog een paar dozen staan. Zouden jullie ze voor mij in de container kunnen gooien? Ik mag niet meer tillen van de dokter, weet je. Vanwege m'n rug.'

'Natuurlijk,' zegt vader. 'We komen er zo aan.'

Als de auto even later leeg is, gaan Nathan en zijn vader de kerk binnen. Jan staat hen al op te wachten. Hij gaat hen voor een lange betegelde gang door. Aan het eind van de gang is de deur naar de kelder. 'Pas op je hoofd!' roept Jan. Hij doet een lichtknopje aan en daalt voorzichtig de keldertrap af. Vader en Nathan volgen hem en ze komen terecht in een grote ruimte waar tientallen stoelen en tafels staan opgestapeld. In een hoek staan grote dozen met oud papier.

'Wauw! Hier ben ik nog nooit geweest!' zegt Nathan. 'Ik wist niet dat er hier zo'n grote kelder was!'

'Ja, dit is een enorme ruimte,' zegt Jan trots. Net zo groot als de kerkzaal zelf. Als kind heb ik hier heel wat uurtjes doorgebracht als mijn vader in de kerk aan het werk was. Mijn vader was ook koster, weet je. Ik had zo'n houten stepje, en daar stepte ik dan de hele kelder mee rond. In de oorlog werden er hier zelfs wel eens kerkdiensten gehouden. In de tijd dat de ramen van de kerk allemaal kapot geschoten waren. Het was toen te koud om boven te zitten. Mijn vader deed dan een oliekacheltje aan, en dan zaten we hier met z'n allen. Lekker warm en gezellig. We zongen bij het harmonium. Kijk, dat daar. Wordt nu nooit meer gebruikt natuurlijk. Veels te ouderwets. Weet je dat er hier ook onderduikers verstopt zaten? Hieronder is nog een soortement van schuilkelder. Als kind wist ik daar natuurlijk niks van. Ik speelde hier gewoon met mijn vriendjes. Verstoppertje en zo. Nooit hebben we gemerkt dat er hier vlakbij mensen verborgen zaten.'

'Schuilkelder?' zegt Nathan verbaasd. 'Dus onder deze kelder is nóg een kelder?'

Jan knikt. 'Yep! Een heel oude zelfs. Kijk, dit zijn de dozen. Als jullie die voor mij in de container gooien, heb ik straks koffie voor jullie.' Jan draait zich om en sloft weer naar de keldertrap.

'Zeg pap,' zegt Nathan als hij met een doos naar boven loopt. 'Die

kelder hè... ben jij daar eigenlijk wel eens in geweest?'

'Huh? Wat zeg je?' bromt vader, die twee dozen op elkaar draagt en er niet eens meer overheen kan kijken. 'Die kelder? Houd de deur eens voor me open, Nathan! Anders stort ik zo meteen achterover de trap af!'

'Ja, dat zou jammer zijn,' zegt Nathan, terwijl hij met zijn rug tegen de deur gaat staan, zodat zijn vader er langs kan. 'Dan moeten ze voor zondag een andere dominee zoeken! Maar die kelder, pap, ben je daar wel eens geweest?'

'Uh... wacht even hoor, even die dozen neerzetten.' Hijgend veegt vader het zweet van zijn voorhoofd. 'Wat heeft 'ie in die dozen gestopt! Niet normaal, zo zwaar! Wat zei je nou? O, die schuilkelder – nee, daar kun je volgens mij ook niet meer in. Een jaar of tien geleden is er een nieuwe verwarmingsinstallatie in de kelder gezet, precies op de plaats van het toegangsluik.' 'O, jammer,' zegt Nathan teleurgesteld.

'Ja, dat had jij wel leuk gevonden, zeker! Kom op, we brengen die dozen even naar buiten. Ik heb wel zin in die koffie.'

Als Nathan en vader even later weer thuiskomen, is moeder in de keuken bezig om deeg te kneden. Haar overhemd zit onder de bloem. Timon staat naast haar op een krukje met een eigen stukje deeg.

'Ha, mam! Hoi, Timon! Wat doen jullie? Maken jullie pizza?'

'Ha, Nathan! Ja, we eten pizza vanavond. Waar is papa?'

'Die is meteen naar boven gerend. Hij zei dat hij onmiddellijk piano moest spelen. Mag ik wat drinken?'

'Schenk zelf maar even wat in. Ik zit helemaal onder de bloem.'

Nathan schenkt een glas limonade voor zichzelf in en maakt de koektrommel open. 'Een of twee koekjes?'

'Twee. Het duurt nog wel een poosje voor we gaan eten.'

'Ikke ook koek!' roept Timon. Voorzichtig stapt hij van zijn krukje af en loopt naar Nathan toe, met het deeg nog aan zijn vingers. Nathan stopt een stukje van zijn koek in Timons mond.

'Ga jij ook pizza maken?'

'Ja, pizza!' zegt Timon met volle mond. Hij klimt weer op zijn krukje. 'Timon koken!'

'Knap hoor. Hé, mam, kan ik nog even naar de bieb?'

Moeder kijkt naar de klok. 'Wat mij betreft wel. Ik ben niet voor zes uur klaar. Maar wil je even wat voor mij doen? Kun je een klein scheutje olijfolie over het deeg gieten?'

Nathan pakt een vierkante fles uit een van de keukenkastjes. Hij draait de dop eraf en houdt hem boven het deeg. De olie gulpt eruit.

'Ho! Stop!' roept moeder. 'Dat is veel te veel!'

Nathan haalt zijn schouders op. 'Geeft toch niet, mam?' zegt hij. 'Je zegt zelf altijd dat olijfolie zo gezond is.'

'Laten we ons daar maar aan vasthouden,' zegt zijn moeder, terwijl ze de olie door het deeg probeert te kneden. 'Vandaag eten we dan in ieder geval supergezond!'

Nathan drinkt snel zijn glas limonade leeg, propt zijn tweede koekje in zijn mond en pakt zijn rugzak. 'Ik ga weer, mam! Tot straks!'

HOOFDSTUK 8.

Onderweg naar de bibliotheek denkt Nathan na. Sinds Jan hem verteld heeft over de geheime kelder, kan hij nog maar aan een ding denken. Die kelder – zou je er echt niet meer in kunnen? Hij wil er meer over te weten komen. Misschien dat er in de bibliotheek een boek is waarin er iets over geschreven is. Maar hoe zou je zo'n boek moeten vinden? Vast niet op de jeugdafdeling.

Als hij in de bibliotheek is, gaat hij naar de afdeling met boeken voor volwassenen. Maar als hij tussen de tientallen kasten met boeken doorloopt, zinkt de moed hem in de schoenen. Er is geen beginnen aan. Waar zou hij moeten zoeken? Terwijl hij rondloopt, ruikt hij ineens de geur van pindakaas. Op hetzelfde moment voelt hij een zware hand op zijn schouder.

'ALS DAT MENEER VAN DER HEIDE NIET IS!' schalt de stem van meester Hakker, de schooldirecteur, door de bibliotheek. 'BETRAPT OP DE VOLWASSENENAFDELING!!' Nathan krimpt in elkaar en wenst dat hij zichzelf onzichtbaar kan maken. Overal draaien mensen zich om om te kunnen zien wat er aan de hand is. Twee oudere dames komen speciaal om het hoekje van het gangpad kijken wat er aan de hand is. 'Kun je het een beetje vinden?' gaat meester Hakker op normale toon verder. Hij kijkt streng naar de twee dames, die niet weten hoe snel ze weer moeten verdwijnen.

Nathan haalt zijn schouders op. 'Niet echt. Ik weet niet waar ik moet zoeken.'

'Kan ik je misschien helpen?' vraagt meester Hakker.

Nathan kijkt even opzij om te zien of hij het meent. Meester Hakker kijkt hem vriendelijk aan. 'Ik zoek een boek over de geschiedenis van het dorp,' zegt Nathan.

'Aha! Maar dan zoek je op de verkeerde plek. Kijk, ik zal je even de weg wijzen.'

Meester Hakker gaat hem voor naar een andere plek. 'Even zoeken.... Ja, hier staan de geschiedenisboeken. En als het goed is, begint hier – ja, kijk, hier, een rijtje boeken over de geschiedenis van het dorp. Was dat wat je zocht?'

'Inderdaad!' zegt Nathan. 'Dank u wel, meester!'

'Graag gedaan, meneer Van der Heide. Ik zie het graag als een leerling zijn tijd zo nuttig besteedt. De geschiedenis van je geboortedorp bestuderen. Heel goed. Bijzonder loffelijk.' Goedkeurend mompelend loopt meester Hakker weg.

Nathan kijkt naar de boeken die meester Hakker hem heeft aangewezen. Het zijn er maar een paar. Hij pakt ze uit de kast en gaat ermee op de grond zitten. Twee boeken vallen al meteen af. Het ene gaat over de geschiedenis van de voetbalclub, het andere is een herdenkingsboek ter gelegenheid van het honderdjarig bestaan van de openbare school. Er blijft één boek over. Het is een boek over de geschiedenis van het dorp. Nathan bladert erin en ziet zwartwitfoto's van mensen met paard en wagen, van vrouwen met lange jurken aan, van kinderen met hoepels en tollen, en van grote klassen kinderen met ouderwets geklede schoolmeesters. Als hij ergens iets kan vinden over de kerk, dan is het wel in dit boek. Hij krabbelt overeind, zet de twee boeken die hij niet kan gebruiken terug op hun plaats en neemt het boek met de foto's mee naar de uitleenbalie.

Meester Hakker is voor hem aan de beurt. Hij legt een kookboek met de titel 'Doe meer met pindakaas' op de balie, en haalt uit zijn tas 'De machteloze meester – hoe houd ik mijzelf in de hand en op de been' en 'Tips en trucs om kinderen te temmen.' De bibliothecaresse houdt de boeken een voor een onder de scanner en geeft daarna met een glimlach meester Hakker zijn pasje terug.

'En, is het gelukt?' vraagt meester Hakker aan Nathan als ze even later samen naar de uitgang lopen. Nathan knikt en laat hem het boek zien dat hij gekozen heeft. 'Aha, dat is een goede keus. Bijzonder nuttig. Ik heb het zelf ook. Je moet zeker een

spreekbeurt houden?'
Nathan schudt zijn hoofd. 'Ik wil gewoon iets uitzoeken.'
'Juist. Nou, dan wens ik je veel succes. Hier scheiden zich onze wegen. Dag meneer Van der Heide.'
'Dag meester. En nog bedankt!'

HOOFDSTUK 9.

D irect na het eten gaat Nathan naar zijn eigen kamer. Hij neemt het dikke boek over de geschiedenis van het dorp mee, en gaat op zoek naar informatie over de geheime kelder onder de kerk. Eindelijk vindt hij iets. Niet in het hoofdstuk over de kerk, maar in een hoofdstuk over kasteel Arenshorst, een oud kasteel net buiten het dorp, dat tegenwoordig dienst doet als museum. Nathan leest:

Bij de bouw van kasteel Arenshorst werd rekening gehouden met toekomstige vijandelijke aanvallen. Vanaf de kelder van het kasteel werd een ondergrondse gang gegraven die in geval van nood de bewoners een veilige uittocht kon garanderen. De gang – die uiteraard slechts aan weinigen bekend was – leidde naar de kelder van de dorpskerk.

De gang, die degelijk gebouwd is, heeft de tand des tijds uitstekend doorstaan. De laatste bewoners van het kasteel hebben in 1955 de gang aan de kasteelkant dicht laten metselen. Kennelijk was hun angst voor diefstal van onderaf groter dan de angst voor vijanden van buitenaf.

Tijdens de tweede wereldoorlog is dat deel van de gang dat zich onder de kerk bevindt, uitgegraven tot een grote ruimte, die zijn nut aan velen bewezen heeft. De laatste tientallen jaren is de gang niet meer in gebruik.

(Zie plattegrond, pag. 317)

Nathan voelt zich opgewonden. Niet alleen maar een geheime kelder, maar een geheime gang die onder het hele dorp door- loopt! Gauw bladert hij door naar de pagina met de plattegrond. Maar tot zijn verbazing zit die er niet meer in. Het lijkt wel alsof de bladzij er uit is gescheurd. Er zitten kleine rafeltjes op de plek waar de plattegrond eruit is gehaald. Jammer. Het zou leuk zijn om te zien hoe de gang precies loopt. Misschien wel onder hun huis door. Misschien wel vlak onder de kelder waar vroeger de dienstmeisjes werkten. Stel je voor! Als hij een diep gat zou graven in de tuin, zou hij misschien wel in de geheime gang terecht kunnen komen!

Ineens houdt Nathan zijn adem in. Hij denkt aan de man met de snor, die zomaar in de vloer van zijn kantoor een gat aan het graven is. Zou dat iets te maken kunnen hebben met de geheime gang? Zou die man soms van plan zijn om vanuit de geheime gang het hele dorp op te blazen? Zou er soms een geheime schat in liggen? Of is er niets aan de hand en is hij alleen maar een chagrijnige oude man die de gasleidingen in zijn kantoortje laat repareren?

Nathan denkt diep na. Dan neemt hij een besluit. Hij propt het boek dat hij net geleend heeft in zijn rugzak, rent de trap af en gaat de woonkamer binnen, waar zijn moeder naar het nieuws zit te kijken. 'Mam, zal ik Jaro even uitlaten?' vraagt hij.

Moeder kijkt verbaasd op. 'O, graag! Tot straks!'

Nathan trekt zijn spijkerjas aan, doet zijn rugzak om, en gespt Jaro zijn riem aan. 'Sorry Jaro, we gaan vanavond niet wandelen, maar hardlopen. Tenminste – jij gaat hardlopen. Ik ga fietsen, als je het niet erg vindt.'

Jaro maakt geen bezwaar. Hij is zelfs bereid Nathan te trekken als hij niet hard genoeg fietst naar zijn zin. Nog geen vijf minuten later belt Nathan aan bij het huis van Arco. Arco's vader, nog gekleed in zijn legeruniform, doet open. 'Ha, Nathan! Jij komt zeker voor Arco!'

Nathan knikt. 'Is hij thuis?'

'Ja hoor, kom binnen. Hij is aan het trainen.'

Als Nathan met Jaro de kamer binnenstapt, ziet hij Arco hardlopen op de loopband die midden in de kamer staat. 'Hoi!' hijgt hij.

'Nog even!'

Nathan kijkt op het schermpje boven aan de loopband. 'Zeg, overdrijf je niet een beetje?' informeert hij. 'Negen kilometer per uur!'

Arco drukt op een rode knop. De loopband gaat steeds trager, en stopt tenslotte. Met een legergroene handdoek wist Arco het zweet van zijn gezicht. 'Ik volg het trainingsschema dat mijn vader voor me heeft gemaakt,' zegt hij terwijl hij op een been staat en zijn andere been naar achteren omhoog trekt. 'Zwaar man! Zal ik vragen of hij voor jou ook een schema maakt? Dan kom je elke dag bij ons trainen. Kunnen we in oktober samen meedoen aan de kwart marathon.'

'Nou, nee, dank je wel! Zeg, moet je horen! Kunnen we even praten boven? Ik heb wat ontdekt!'

'Oké!' Snel slaat Arco een handdoek om zijn schouders, en samen lopen de twee jongens naar boven. Als ze samen op Arco's bed zitten, haalt Nathan zijn boek tevoorschijn. Hij vertelt Arco over de schuilkelder onder de kerk, en laat Arco dan het stuk over de geheime gang lezen.

'Dus er loopt een geheime gang onder het dorp door?' zegt Arco. 'Ongelofelijk! Dat we daar nooit iets over gehoord hebben!'

'Ja, en vind je het nou niet een beetje vreemd dat die beheerder van de begraafplaats zomaar stiekem in zijn kantoortje een gat aan het graven is?'

Het is even stil. 'Ik begrijp wat je bedoelt,' zegt Arco tenslotte. 'Je vraagt je af...'

'... of dat niet iets te maken zou kunnen hebben met die geheime gang,' vult Nathan aan. 'Zou het niet kunnen dat hij vanuit dat kantoortje in die geheime gang probeert te komen?'

'Dat zou best wel kunnen,' denkt Arco. 'Maar waarom zou hij dat doen? Vanuit die gang kun je nergens komen, toch? Alleen bij de kerk. Bij het kasteel is hij dichtgemetseld.'

'Nou, misschien wil hij wel het geld van de collecte roven. En de avondmaalsbekers. Die zijn van echt zilver. Enne... er ligt toch zo'n ouwe bijbel op de preekstoel? Mijn vader heeft gezegd dat er dieven zijn die in kerken inbreken om van die ouwe bijbels stelen. Die zijn echt hartstikke veel geld waard.'

'Of misschien wil hij wel een lading springstof in die gang leggen en het hele dorp opblazen,' zegt Arco ongerust.

'Volgens mij kunnen we maar beter ingrijpen,' zegt Nathan. 'Voor het te laat is.'

Arco knikt. 'Ik denk dat je gelijk hebt. Maar wat kunnen we doen?'

'Laten we eerst maar eens naar de kerk gaan,' stelt Nathan voor. 'Kijken of we de ingang van die gang kunnen vinden. Ik heb het er met mijn vader nog over gehad. Hij zegt dat de verwarmingsketel er bovenop staat en dat je er niet meer in kunt. Maar we kunnen het toch proberen?'

'Maar uh... de anderen dan?' vraagt Arco. 'Denk je niet dat ze boos zijn als wij met z'n tweeën op onderzoek zijn uitgegaan?'

Nathan haalt zijn schouders op. 'Vast niet, joh. We kunnen toch niet met z'n zessen tegelijk in de kerk aankomen? Dat zou veel te veel opvallen. Kom op, laten we gewoon samen eventjes gaan zoeken naar de ingang van de kelder. Als we die ontdekken, dan vertellen we het morgen meteen. En dan gaan we met z'n allen een plan bedenken om te voorkomen dat het hele dorp wordt opgeblazen. Oké?'

'Oké dan. Even droge kleren aantrekken, dan gaan we,' zegt Arco. Hij gooit zijn bezwete T-shirt en sportbroek op de grond, schopt zijn loopschoenen uit en trekt snel zijn gewone kleren aan. 'Doei pap, we moeten nog even wat doen!' roept hij, terwijl hij samen met Nathan en Jaro de deur uitrent.

Als de jongens even later bij de kerk aankomen, zien ze daar allemaal fietsen staan.

'Zouden er soms al meer mensen aan het speuren zijn?' vraagt Arco zachtjes.

'Welnee, joh! Er is vanavond een vergadering. Mijn vader moest er ook heen. We moeten gewoon zachtjes naar binnen sluipen, dan merken ze niets. Kom, we gaan via de zijdeur.'

Gebukt sluipen de jongens langs het zaaltje waar de kerkenraad aan het vergaderen is naar de zijdeur van de kerk. Zachtjes opent Nathan de deur en kijkt naar binnen. Er is niemand te zien. 'Snel naar binnen, kom op! Jaro, koest!' De jongens glippen naar binnen en lopen op hun tenen door de gang naar de keldertrap. Het getik van Jaro's nagels op de tegels lijkt een enorme herrie te maken, maar er is niemand die komt kijken. Als ze de deur naar de kelder achter zich dicht hebben getrokken, slaakt Nathan een zucht van verlichting.

'Pfff... gelukkig dat we niemand zijn tegengekomen.'

'Nou, inderdaad!' zegt Arco. 'Moet het hier ergens zijn? Waar gaan we beginnen?'

'Laten we eerst maar eens kijken waar de verwarmingsketel is,' zegt Nathan.

'Een verwarmingsketel... maar dat moet toch een groot ding zijn?' Arco loopt rond door de grote kelder, en kijkt achter stoelen en tafels. 'Als er in deze ruimte een ketel was, dan zouden we hem wel zien.'

'Dan moeten we ergens anders zoeken,' zegt Nathan. Hij loopt langs de muren van de kelder, kijkt achter gordijnen en trekt stoelen van hun plaats. 'Kijk eens! Hier is een deur!'

En inderdaad. Verborgen achter een hoge stapel stoelen blijkt een deur te zitten. 'Kom mee, Jaro!' zegt Nathan. 'We gaan eens even kijken!'

De jongens duwen uit alle macht om de stapel stoelen een eindje te kunnen verschuiven. Eindelijk kunnen ze de deur op een kier open krijgen. Ze wringen zich er doorheen en komen terecht in een klein, donker kamertje. Nathan zoekt op de tast langs de deurpost tot hij een lichtknopje gevonden heeft. Als er een tl-buis aanspringt, ziet hij een grote verwarmingsinstallatie.

'Nou nou, de koster mag hier wel eens aan het werk zeg!' zegt Arco. 'Wat een laag stof! En al die spinnenwebben. En zie je die

zwarte dingen daar op de grond! Volgens mij zijn dat muizenkeu-
tels! Het is maar goed dat mijn moeder niet bij ons is. Die zou
meteen een stofzuiger en een emmer sop gaan halen.'

Nathan gaat op zijn hurken zitten, zijn arm om de nek van Jaro
heengeslagen. 'Hoe moeten we dit aanpakken?' vraagt hij.
'Volgens mijn vader moet er een luik onder de verwarmingsketel
zitten. Maar we kunnen dat ding toch niet van zijn plaats halen?'
Arco denkt na. 'Nee. Natuurlijk niet. Maar moet je zien, die ketel
raakt de grond niet. Hij hangt erboven. Laten we eens proberen
of we de vloerbedekking een eindje weg kunnen trekken.'
Hij stapt naar een hoek van het hok en trekt aan een punt van de
oude, bruine vloerbedekking. Die laat gemakkelijk los. 'Help eens
mee, Nathan!' zegt Arco. 'Dan trekken we die vloerbedekking
onder de verwarmingsketel vandaan.'
Samen sjorren de jongens aan de vloerbedekking. Jaro lijkt te
begrijpen wat de bedoeling is. Hij zet zijn tanden in het tapijt en
trekt mee, zo hard als hij kan. Een oude planken vloer wordt
zichtbaar. En onder de verwarmingsinstallatie blijkt in de vloer
een kleine koperen ring te zitten. Nathan knielt ernaast en ziet dat
de ring in het midden van een bijna onzichtbaar luik zit. Hij trekt
eraan en zonder veel moeite kan hij het luik uit de vloer tillen.
Een donkere ruimte wordt zichtbaar. Nathan en Arco kijken
elkaar aan. Ze hebben de toegang tot de geheime gang gevonden! Zonder wat te zeggen gaan ze op hun buik onder de verwarmingsketel liggen om in de gang te kunnen kijken. Jaro komt tussen hen in staan, laat zich door zijn voorpoten zakken en blaft
woedend naar beneden.
'Hij ruikt wat!' zegt Nathan. 'Stil Jaro! Straks verraad je ons nog!'
'Er zit zeker een muis,' zegt Arco. 'Of een rat. Er kan hier van alles
zitten. Ik heb wel eens gehoord van mensen die een krokodil
door hun wc spoelden. Of hun slang. Omdat die te groot werd.
En die blijven dan gewoon leven hoor!'
'Ja hoor. Dit is toch geen riool!' zegt Nathan. 'Je denkt toch niet

echt dat hier krokodillen zitten?'

'Heus niet,' zegt Arco. Maar helemaal overtuigd klinkt het niet.

'Zeg, heb jij een zaklamp mee?' vraagt Nathan.

'Nee! Wat stom van me! En jij?'

'Ik ook niet. Jammer. Anders konden we naar binnen schijnen. Dan konden we zien hoe het er daar uitzag.'

'Moeten we morgen niet vergeten! Dan moeten we er allemaal een meenemen,' zegt Arco. 'Maar zullen we teruggaan? Het is al negen uur geweest! Ik had al lang thuis moeten zijn! Zo meteen schakelt mijn vader het leger in om mij te zoeken!'

'Wat! Is het al zo laat!' zegt Nathan. 'Kom op, dan gaan we!' Maar dan ineens begint Jaro te grommen alsof hij vlakbij een verschrikkelijke vijand in het oog krijgt. Hij ontbloot zijn tanden en voor Nathan hem tegen kan houden, springt hij in het donkere gat.

'Jaro! Kom terug!' roept Nathan verschrikt. 'Hier Jaro! Hier! Kom hier!'

Maar hoe hij ook roept, de hond komt niet. Nathan en Arco horen zijn geblaf weergalmen, alsof hij door een grote ruimte rent.

'Jaro! Jaro!' roept Nathan. 'Kom dan! Hier!'

Het geblaf klinkt steeds verder weg.

'Hij komt niet terug,' zegt Nathan. 'Ik moet hem halen. Ik ga naar beneden.' Hij gaat op zijn buik liggen en laat zijn benen in het gat zakken.

'Ben je gek geworden!' zegt Arco. 'Dat kan niet! We hebben geen zaklamp! Je ziet geen hand voor ogen! En je weet niet hoe die gang loopt. En stel je voor dat hij instort!'

'Kan me niet schelen,' zegt Nathan vastbesloten. 'Ik kan niet thuiskomen zonder Jaro.' Hij schuift op zijn buik achteruit, en probeert of hij de vloer al kan voelen.

'Doe normaal! Kom terug! Jaro kan zich onder de grond beter redden dan jij! Hij komt echt wel weer terug hoor. Waarschijnlijk zit hij nu lekker aan een rat te peuzelen. Jij blijft hier of ik doe je wat!'

Nathan luistert niet naar zijn vriend. Hij kan nog maar aan één ding denken: Jaro! Hij laat zich naar beneden vallen en komt met een zachte plof op de aarde terecht. Als hij overeind krabbelt ziet hij Arco's hoofd boven het verlichte gat uitsteken. Arco is boos. Zo boos als Nathan hem nog nooit gezien heeft.

'Nathan! Kom terug, halvegare! Dit is echt hartstikke stom wat je nu doet! Zonder verlichting in een onderaardse gang kruipen. Als je er niet meteen uitkomt, ga ik je vader en moeder opbellen.'

'Nou, dat is een hele opluchting,' klinkt ineens een vertrouwde stem. 'Dat ik toch nog even op de hoogte word gebracht als mijn zoon op het punt staat zoiets stoms te gaan doen.'

Arco schrikt en komt met een ruk overeind. 'Au!' kreunt hij als hij zijn hoofd stoot tegen de verwarmingsketel. In de deuropening ziet hij Nathans vader staan, zijn armen over elkaar.

'Pap,' zegt Nathan vanuit de diepte. 'Wat doe jij hier!'

Zijn vader bukt zich boven het gat en kijkt Nathan streng aan. 'Ik kan geloof ik beter vragen wat jij hier aan het doen bent. Kom onmiddellijk uit dat gat!'

Hij geeft Nathan een hand en trekt hem zonder moeite naar boven. 'Jongen toch, wat heb je mij laten schrikken,' zegt hij vriendelijk, terwijl hij zijn smerige zoon in zijn armen neemt en tegen zich aan houdt. 'Zul je dat nooit meer doen?'

Nathan kan zijn tranen haast niet bedwingen. 'Ja, maar Jaro, pap! Jaro zit onder de grond! Hij is naar beneden gesprongen! Ik moest hem eruit halen!'

'Jaro redt zich wel. Die komt echt wel weer naar boven. Maar bij jou ben ik daar nog niet zo zeker van. Dat was echt ongelofelijk dom, jongen! Arco had helemaal gelijk. Kom, we zullen eens zien of we Jaro weer terug kunnen krijgen.'

Vader gaat op zijn knieën bij het geopende luik zitten en roept met dreigende stem naar beneden: 'Jaro! HIERRR!' Vanuit de verte klinkt geblaf. 'HIERR!' roept vader nog een keer. Het geblaf komt dichterbij. En na een poosje staat Jaro ineens kwispelstaartend onderaan het gat, alsof hij de gehoorzaamste hond van de wereld

is. 'Ja, je bent braaf,' zegt vader. 'Braaf en waarschijnlijk nogal smerig. Maar hoe krijgen we je weer omhoog?'

'Zal ik even naar beneden gaan?' zegt Nathan, terwijl hij met zijn vuile handen over zijn gezicht wrijft om zijn tranen weg te vegen. 'Dan kan hij via mijn rug naar boven.'

'Nee, ik doe het zelf wel,' zegt vader. Met moeite kruipt hij onder de verwarmingsketel en laat zich dan in het gat zakken. Hij pakt de hond, die onder het stof en de spinnenwebben zit, op en zet hem met een zwaai boven zich op de houten vloer. Dan hijst hij zichzelf weer op. Hij doet het luik weer dicht en kijkt de jongens aan. 'Komen jullie maar even mee, jongens. Ik geloof dat we eens even met elkaar moeten praten.'

HOOFDSTUK 10.

V ader neemt de jongens mee naar boven en gaat met ze naar een klein zaaltje. Er staat een grote eikenhouten tafel met hoge stoelen er omheen. Aan de ene muur hangt een schoolbord, aan de andere hangen portretten van oude dominees. Ze kijken alsof ze precies weten wat Nathan en Arco gedaan hebben en het er helemaal niet mee eens zijn. Nathan vraagt zich af of de koster niets leukers kon vinden om aan de muur te hangen dan een stelletje sombere portretten.

'Ga zitten, jongens,' zegt vader. De jongens pakken een stoel en gaan zitten. Vader blijft staan, de handen in de zakken van zijn broek. Hij kijkt ernstig. 'Ik kreeg zonet, toen de kerkenraadsvergadering voorbij was, een telefoontje van mama. Ze was heel erg ongerust. Ze had er geen idee van waar je was. Arco's moeder had ook al gebeld. Ik wou op de fiets springen om jullie te gaan zoeken, maar toen ik buiten kwam, zag ik in het fietsenhok jullie fietsen staan. En toen had ik wel zo'n idee waar ik zoeken moest.' Hij zucht. 'Waarom hebben jullie niet gewoon aan Jan of aan mij gevraagd of je de kelder mocht zien? Waarom moest dat zo stiekem?'

Nathan plukt aan het kleed dat op de donkerhouten tafel voor hem ligt. 'Ik dacht dat het dan niet zou mogen,' zegt hij zacht.

'En dan sluip je zomaar de kerk in? Kom op, jongen, vertel me nu eens gewoon alles. Zonder dat ik het eruit moet trekken.'

Nathan haalt diep adem. 'Gisteren heb ik een boek van de bibliotheek gehaald. Om te lezen over die geheime kelder. En toen las ik dat er niet alleen maar een kelder is onder de kerk, maar dat er een ondergrondse gang is. Onder het hele dorp door, pap! Moet je je voorstellen! Helemaal van het kasteel naar de kerk toe. Een oude vluchtgang. Voor als er vijanden waren. Dan konden de mensen van het kasteel ontsnappen door die gang, begrijp je? En toen dachten wij, die vent van de begraafplaats wil misschien wel een bom in die gang leggen, want die is een gat aan het graven in zijn kantoortje. En zo meteen blaast hij ons allemaal op. Of hij breekt in in de kerk en dan steelt hij die ouwe bijbel die op de preekstoel ligt en de avondmaalsbekers. Snap je?'

Vader schudt zijn hoofd en gaat half op de tafel zitten. 'Nee. Eerlijk gezegd begrijp ik het helemaal niet. Je hebt dus gelezen dat er een gang onder het dorp door loopt. Van het kasteel naar de kerk. Dat begrijp ik. Maar hoe kom je er nou toch bij dat iemand het dorp wil opblazen en de avondmaalsbekers wil stelen? Naar wat voor tv-programma heb je nu weer zitten kijken! Zulke dingen gebeuren toch niet in het echt! En welke vent bedoel je eigenlijk?'

'Die vent van de begraafplaats,' zegt Nathan. 'Met dat kale hoofd en die rare snor. Janneke en Marieke hebben zelf gezien dat hij in zijn kantoortje een gat aan het graven was.'

'Hoe kunnen ze dat gezien hebben? Wat deden ze in het kantoortje van die meneer?'

'Ze hebben mijn supersoaker teruggepakt. Die had die vent zomaar afgepikt.'

Vader kijkt geschokt. 'Ja maar jongens, dan pik je hem toch niet terug? Dat heb ik je toch hopelijk wel geleerd? Als die man je waterpistool afpakt, dan heeft hij er vast een goede reden voor. En dan ga je maar netjes vragen of je hem weer terug mag hebben!'

Nathan kijkt hulpeloos naar Arco. Zijn vader begrijpt er niets van. Arco komt voor hem op. 'Nou ja, dat hadden we misschien niet moeten doen. Maar het is echt een heel gemene man, dominee! Echt waar hoor! Nathan en ik liepen gewoon met Jaro over de begraafplaats, we deden niks. En ineens stuurt die vent zijn hond op Jaro af. Een pitbull. En die viel Jaro aan. En Nathan probeerde ze uit elkaar te trekken, ontzettend gevaarlijk, hij kon zelf wel gebeten worden, en die vent, die stond daar maar. En hij deed helemaal niks, terwijl die smerige pitbull Jaro zat te bijten. En toen heb ik met de supersoaker geschoten om ze aan het schrikken te maken. En toen begon die man tegen ons te schreeuwen en hij heeft de supersoaker afgepakt. Echt vreselijk oneerlijk. En toen wilden wij hem weer terughalen. Het was echt niet alleen Nathans idee.'

Vader glimlacht. 'Ik begrijp het. En ik vind het heel aardig van je dat je het voor Nathan opneemt. Als ik jullie zo hoor geloof ik best dat die man zich niet al te netjes gedragen heeft. Maar weet je, als een ander iets verkeerd doet, moet je natuurlijk niet verkeerd terug gaan doen. Inbreken in een kantoor, dat kan gewoon echt niet.'

De jongens knikken.

'Weet je wat jullie doen? Jullie gaan gewoon met z'n allen terug naar die man en jullie bieden je excuus aan...'

'Wát!' roept Nathan. 'Dan zijn we er geweest, pap! Die vent stuurt zo z'n hond op ons af!'

'Je laat me niet uitpraten. Ik wilde zeggen: en ik ga met jullie mee. Want ik wil die man ook wel eens even spreken.'

'Pap, geloof me, volgens mij is dat niet zo'n heel goed idee,' zegt Nathan voorzichtig.

'Nee, dominee, ik denk het ook niet,' zegt Arco. 'Die man is nogal snel kwaad. En z'n hond ook. Als u echt per se wilt dat we onze excuses aanbieden, dan kunnen we hem nog beter opbellen. Dan kan hij ons tenminste niets doen.'

Nathans vader lacht. 'Jongens, ik geloof best dat die meneer niet zo'n heel best humeur had toen jullie hem tegenkwamen. Maar hij zal jullie echt niets doen. Morgenmiddag gaan we even bij hem langs. Weet je wat? Dan kopen jullie van je zakgeld een bloemetje om het goed te maken. Wedden dat hij dan niet meer boos is?'

De jongens kijken elkaar aan. Ze geloven er niets van. Maar aan de andere kant, als ze met Nathans vader samen gaan, kan er inderdaad niets gebeuren. Wie weet kunnen ze zelfs nog iets te weten komen over mister Pitbull.

'En wat die geheime gang betreft,' gaat vader verder, 'ik vind het heel jammer voor jullie, maar ik moet jullie echt verbieden om daar nog eens in je eentje te gaan kijken. Ik snap heel goed hoe spannend zoiets is, maar we weten absoluut niet hoe betrouwbaar die gang is. En of je er kunt verdwalen. Misschien is er wel een heel netwerk van gangen. Ik moet er niet aan denken dat jullie daar onder de grond opgesloten zitten en de weg niet meer weten.'

Natuurlijk, denkt Nathan. Hij slaakt een diepe zucht. Dit was nou precies waarom ze het geheim wilden houden. Wil je eens iets avontuurlijks doen, mag het natuurlijk weer niet.

'Goed. En nu naar huis, jullie. Jullie hebben je moeders allebei doodongerust gemaakt!' Vader staat op. 'En, Nathan?'

Nathan kijkt vragend naar hem op.

'Een week lang om acht uur naar bed. En twee weken niet computeren.'

HOOFDSTUK 11.

Nathan zit somber op zijn bed voor zich uit te staren, zijn kin in zijn handen. Een week lang vroeg naar bed, twee weken lang niet achter de computer, excuses aanbieden aan de vent die zijn pitbull op Jaro afstuurde, een verbod om de onderaardse gang te onderzoeken. Zijn vader begrijpt ook niets van misdaadbestrijding. Gedachteloos bladert hij door het boek dat hij van de bibliotheek heeft gehaald. Ineens valt zijn oog op de plek waar een bladzij is uitgescheurd. Dat was de bladzij met de plattegrond van de gang, herinnert hij zich. Vreemd eigenlijk, dat juist die pagina ontbreekt. Wie zou hem eruit gescheurd hebben? En waarom? Het moet wel iemand geweest zijn die die bladzij nodig had. Iemand die heel graag wilde weten hoe de gang liep. En die niet wilde dat andere mensen dat zouden weten.

Nathans gedachten dwalen terug naar de ontmoeting met meester Hakker in de bibliotheek. Wat zei hij toch toen hij dat boek zag? 'Een goed boek, ik heb het zelf ook!' Met een schok beseft Nathan wat dat betekent. Meester Hakker heeft een boek in huis waar de plattegrond nog wel in staat!

Zou hij meester Hakker durven te vragen of hij het mag lenen? Of zou hij dan boos worden? Nathan denkt even na en neemt dan een besluit. Hij sluipt zijn kamer uit en gaat naar de studeerkamer van zijn vader. Die zit toch beneden naar het journaal te kijken. Hij pakt het telefoonboek uit een boekenkast en zoekt onder de letter H. Er is maar één Hakker. Nathan neemt de hoorn van de haak en toetst het nummer in. Hij voelt zijn handen een beetje vochtig worden. Toch wel spannend, een meester van school opbellen.

De telefoon gaat maar een keer over of hij wordt al opgenomen. Nathan hoort een boze stem aan de andere kant van de lijn roepen: 'HAKKER!'

'Met Nathan van der Heide,' zegt hij zachtjes.

'Met WIE?' klinkt het onvriendelijk.

'Met Nathan van der Heide,' zegt Nathan nu iets harder. 'Uit de klas van meester Verhoef. Neemt u mij niet kwalijk dat ik u stoor.'

'Ik kan pas zeggen of ik het u wel of niet kwalijk neem als ik weet WAARVOOR u mij stoort TIJDENS HET 10-UUR JOURNAAL! En trouwens, WAAROM LIGT U NOG NIET IN BED!'

Nathan slaat zijn hand voor zijn gezicht. Hoe kon hij zo stom zijn om zo laat te bellen! En dan ook nog tijdens het journaal! Maar hij kan nu niet meer terug.

'Neemt u mij niet kwalijk, meester, maar het is een zaak van leven of dood.'

'Hmm, leven of dood?' Het blijft even stil aan de andere kant. Kennelijk moet meester Hakker even nadenken of dat belangrijk genoeg is. 'Oké. Vooruit dan maar.'

'Meester, ik heb gisteren toch dat boek geleend in de bibliotheek?'

'Dat boek in de bibliotheek? O, je bedoelt dat boek over de geschiedenis van het dorp. Ja, en wat is daarmee?'

'Er ontbreekt een belangrijke bladzij. Die is eruit gescheurd. En nou ja – u zei dat u dat boek ook had.'

'Dat klopt.'

'Zou ik – zou ik het misschien mogen lenen van u? Dat ik kan zien wat er op die bladzij staat?'

'Een zaak van leven of dood, zei u toch?' zegt meester Hakker. 'Heel opmerkelijk. Ik ben onder de indruk, meneer Van der Heide. Ik ben in heel mijn loopbaan nog nooit een leerling tegengekomen die het lezen van een geschiedenisboek zo serieus opvatte. Waren er maar meer leerlingen zoals u. Ik zie u morgenmiddag na schooltijd.'

Pas als Nathan even later in zijn bed ligt, beseft hij wat hij gedaan heeft. Meester Hakker opgebeld! En nog wel 's avonds laat! Een jaar geleden had hij nooit verwacht dat hij nog eens zoiets zou doen. Het lijkt wel alsof hij een stuk meer durft nu hij bij de Misdaadmonsters hoort.

HOOFDSTUK 12.

'Wat moet ik hiermee?' vraagt Marieke als Nathan haar de volgende ochtend een blanco papiertje overhandigt.
'Strijken,' fluistert Nathan.
'Strijken??' Marieke kijkt hem aan alsof hij niet goed wijs is.
'Ja, strijken. Er staat een geheime boodschap op. Als je het papiertje strijkt kun je het lezen.'
'Gaaf!' Marieke stopt het briefje snel weg in haar broekzak. 'Ik ga het tussen de middag meteen doen!' Ze rent snel naar Janneke toe, die ook net een briefje heeft gekregen.
'Hoe ging het?' vraagt Arco, die bij Nathan staat. 'Was je moeder erg boos?'
'Nogal,' zegt Nathan. 'En jouw vader en moeder?'
'Ontzettend boos. Mijn vader zei, als ik een van zijn soldaten was geweest, dan had ik me tweehonderd keer moeten opdrukken en daarna de hele nacht rondjes moeten rennen.'
'Ben jij effe blij dat je geen soldaat bent!'
Arco haalt zijn schouders op. 'Hij heeft wat anders bedacht dat net zo erg is. Ik moet een maand lang elke dag de aardappels schillen. En de wc schoonmaken.'
Nathan rilt van afschuw. Elke dag de wc schoonmaken! En dan ook nog elke dag aardappels schillen. Hij schudt zijn hoofd. 'Ze snappen er ook niets van.'
'Het maakt ze niks uit of we straks allemaal de lucht invliegen,' zegt Arco somber.

'Wat zijn jullie geniepig!' sist Marieke verontwaardigd, als ze na de middagpauze samen met Janneke het schoolplein opkomt.
Nathan en Arco kijken elkaar verbaasd aan. 'Wat bedoel je?'
Marieke wappert met het briefje dat ze van Nathan gekregen heeft. 'Dit bedoel ik! Jullie proberen stiekem onze misdaad op te

lossen!'

'Hé, houd dat briefje in je zak!' zegt Robin, die net aan komt lopen. 'Moet iedereen zien wat we hier aan het doen zijn? Wat is er aan de hand?'

'Zij proberen onze misdaad in te pikken!' zegt Janneke, terwijl ze met een verachtelijk gezicht naar Nathan en Arco wijst.

'Hoe kom je erbij!' zegt Nathan. 'Ík ben er achter gekomen dat er een geheime gang onder het dorp doorloopt! En Arco en ik hebben samen gezocht naar de ingang van die gang. Dat hadden we toch moeilijk met z'n allen kunnen doen!'

'Je bent gewoon jaloers op Nathans ontdekking,' zegt Arco.

'Ha!' zegt Marieke schamper. 'Zo'n stomme gang! Moet ik daar jaloers op zijn?'

'Ik zei toch dat we geen meisjes moesten toelaten,' zucht Robin.

'Kom op,' zegt Nathan. 'Laten we nou geen ruziemaken. Ik snap ook wel dat jullie balen dat wij dit samen hebben gedaan. Maar het liep nou eenmaal zo. Willen jullie de rest nog horen of niet?'

Janneke en Marieke kijken elkaar aan en halen hun schouders op.

'Oké dan maar!' zegt Janneke. 'Vertel op!'

HOOFDSTUK 13.

'ZO! EN DAAR HEBBEN WE ONZE KLEINE GESCHIEDENIS-PROFESSOR!' schreeuwt meester Hakker als Nathan na schooltijd zijn kantoortje binnenkomt. Nathan glimlacht beleefd. 'Ga zitten,' vervolgt meester Hakker op normale toon. Hij zwaait met een banaan in zijn hand naar de stoel die voor zijn bureau staat. 'En vertel me eens welke bladzij er precies ontbreekt in jouw boek.'

'Bladzij 317,' zegt Nathan. Hij gaat zitten op het puntje van de stoel. Meester Hakker pakt het boek dat voor hem op tafel ligt en zoekt de bladzij op. 'Aha,' zegt hij dan zacht en hij trommelt met zijn vingers op het tafelblad. 'Dus daar was meneer Van der Heide naar op zoek!' Hij kijkt Nathan streng aan over zijn bril. 'Ik begin het te begrijpen. Meneer Van der Heide is niet geïnteresseerd in de plaatselijke geschiedenis! Meneer Van der Heide is alleen maar geïnteresseerd in de ondergrondse gang!'

Nathan knikt. 'Dat klopt, meester.'

'Jammer. Ik dacht even...' meester Hakker haalt zijn schouders op en neemt een hap van zijn banaan. 'Maar goed. Hoe weet jij van de ondergrondse gang? En wat ben je van plan met die plattegrond?'

Nathan denkt even na. Hij besluit dat het geen kwaad kan om meester Hakker er iets van te vertellen. Zijn vader weet het tenslotte ook. 'Ik heb van koster Jan gehoord over de schuilkelder onder de kerk. En toen wilde ik er meer over weten, en toen heb ik in de bibliotheek gezocht. En toen las ik in dat boek dat er ook een ondergrondse gang was.'

Meester Hakker knikt. 'Dat klopt. Ik heb daar heel wat gespeeld, samen met mijn vriendjes Kars en Guus. Guus is de jongere broer van Jan.' Hij leunt achterover, neemt een hap van zijn banaan en gaat met volle mond verder: 'In de jaren na de oorlog was dat. Op vrije middagen kropen we door het luik naar beneden. Kaarsen mee, dekens, proviand... Ja, dat waren nog eens tijden. En altijd oppassen, natuurlijk. Als Guus z'n vader het zou merken, zou het afgelopen zijn, dat wisten we wel. Maar we zijn nooit betrapt.'

Nathan is stomverbaasd. 'Dus – u bent er wel eens in geweest!' zegt hij.

'Welzeker!' roept meneer Hakker. 'Als er iemand is die die geheime gang kent van haver tot gort, dan ben ik het wel!'

'Ik mag er niet in van mijn vader,' zegt Nathan. 'Gisteren hebben Arco en ik samen de toegang ontdekt. Maar mijn vader kwam erachter.'

'Tjaja,' zegt meneer Hakker. Hij kijkt naar een prullenmand die hoog bovenop een ijzeren kast staat, en mikt zijn bananenschil er als een volleerd basketballer in. 'Laat ik het zo stellen. Als je mijn zoon was, zou ik het je ook verbieden.'

'Maar u bent er zelf ook geweest!' zegt Nathan verontwaardigd. Hij begrijpt niets van grote mensen. Hoe kun je een kind iets verbieden dat je zelf ook hebt gedaan?

'Ik ben er zelf ook geweest. Inderdaad. Maar ik heb er nooit iets over verteld aan mijn eigen kinderen. Weet u, meneer Van der Heide, op je eigen kinderen ben je zuiniger dan op jezelf. Dat zult u later wel merken. Boterhammetje pindakaas?' Hij biedt Nathan zijn broodtrommel aan.

'Nee, dank u,' zegt Nathan. 'Is de gang dan onveilig?'

Meester Hakker aarzelt even. 'De gang stamt uit een tijd dat er nog degelijk gebouwd werd. Vijftig jaar geleden was de gang zo veilig als een bunker. Ik weet natuurlijk niet hoe het er nu voor staat, maar ik neem aan dat er niet veel veranderd is.'

'Kunt u mijn vader dan niet even bellen om dat te vertellen?' hoort Nathan zichzelf tot zijn verbazing zeggen. 'We moeten die gang in. Er is iets belangrijks dat we moeten onderzoeken. Een misdaad.'

Meester Hakker kijkt bars. 'Jongeman, als er sprake is van misdaad, dan bel je de politie. Dat zal je vader toch ook wel tegen je gezegd hebben!'

'Maar er is nog niets gebeurd!' zegt Nathan. 'We denken alleen dat er iets gáát gebeuren. Mag ik eens kijken in dat boek? Dan kan ik het u laten zien.'

Meester Hakker geeft hem zwijgend het boek aan, en Nathan zoekt op de plattegrond. Even later springt hij opgewonden van zijn stoel. 'Ik wist het! De gang loopt onder de begraafplaats door! Dat is het bewijs!'

'Ik begrijp er niets van, meneer Van der Heide. Word eens even kalm, ga zitten en vertel me alles.'

Weer doet Nathan het verhaal. Over de beheerder van de begraafplaats met zijn valse hond, over Janneke en Marieke die ontdekt hebben dat er in het kantoortje een groot gat gegraven is. Hij laat aan meester Hakker zien hoe de gang loopt: precies onder de begraafplaats door. 'Ziet u? En via dat gat in zijn kantoortje kan hij zo in de gang! En ik weet zeker dat hij iets van plan is! Misschien gaat hij de kerk wel beroven! Of er ligt ergens in de gang een schat begraven en hij gaat ermee vandoor! Of hij legt er een bom in en hij blaast ons allemaal op!'

Meester Hakker glimlacht. 'U hebt een bijzonder rijke fantasie, dat moet ik wel zeggen.'

'U gelooft me niet, hè?' zegt Nathan verontwaardigd. 'Als iedereen de lucht invliegt, dan zult u nog spijt krijgen!' Hij staat op en loopt weg.

'Uw boek, meneer Van der Heide!' roept meester Hakker hem na. Nathan aarzelt even, maar schudt dan zijn hoofd. 'Nee dank u. Ik heb het niet meer nodig, geloof ik.' Met een klap trekt hij de deur achter zich dicht.

Het schoolplein is al leeg als Nathan naar buiten komt. Maar in het fietsenhok staan de andere Misdaadmonsters nog op hem te wachten. 'En, wat heeft meester Hakker gezegd?' vraagt Robin.

'Hij gelooft me niet,' zegt Nathan somber. 'Hij zegt dat ik een rijke fantasie heb.'

'Wát!' roept Arco. 'Zei hij dat? Zal ik eens even naar hem toegaan? Ik zal hem eens even met z'n neus in de fantasie drukken! Hakker koekenbakker!'

'Doe maar niet. Zo meteen heb je weer strafwerk.' Ineens klaart Nathans gezicht weer op. 'Hé, maar moet je horen! Meester Hakker had dat boek hè. Dat boek met die plattegrond erin. En die gang hè, die gang, die loopt precies onder de begraafplaats door!'

'Dus als mister Pitbull in zijn kantoortje aan het graven is...' begint Janneke.

'... dan komt hij precies uit in die ondergrondse gang!' zegt Nathan.

'K-kicke!' roept Tim. 'Zie je wel! Het is een e-echte c-crimineel!'

'Hij wil het dorp opblazen,' zegt Arco.

'Of de kerk leegroven,' zegt Nathan.

De Misdaadmonsters kijken elkaar ongerust aan. 'Wat moeten we doen?' zegt Marieke.

'Naar de politie gaan?' zegt Robin.

Nathan haalt zijn schouders op. 'Meester Hakker gelooft ons al niet eens. Denk je dat de politie ons dan wel gelooft?'

Zwijgend staan de Misdaadmonsters bij elkaar. Ze moeten het dorp redden. Maar hoe? Dan ineens komt er een auto het schoolplein opgereden.

'Hé, dat is toch jullie auto?' zegt Robin. 'Er is in het hele dorp maar één auto die zo vies is!'

'Je hebt gelijk!' zegt Nathan verbaasd. 'Het is mijn vader!' Zijn hersens werken op topsnelheid. Heeft hij iets verkeerd gedaan? Is hij iets vergeten? Had hij misschien meteen na schooltijd thuis moeten komen? Als zijn vader uit de auto stapt, loopt hij naar hem toe. 'Hallo pap,' zegt hij voorzichtig.

'Ha, jongen.'

'Uh... wat doe je hier?'

Vader sluit de auto af en kijkt op. 'Ik moet even bij meester Hakker zijn. Zeg, ik zie je zo wel. Tot straks!' Haastig loopt hij de school binnen.

'En?' vraagt Arco even later aan Nathan. 'Wat zei je vader?'
'Hij moet bij meester Hakker zijn.'
'Meester Hakker?' zegt Marieke. 'Dat is niet best! Wat zou er aan de hand zijn?'
'Ik denk dat je van school wordt gestuurd,' zegt Tim. 'Als je vader bij de directeur moet komen, is dat meestal zo.'
Robin geeft Tim een stomp. 'Doe toch niet zo dom, Tim. Waarom zou Nathan van school gestuurd worden!'
'Tja, wat denk jij? Gebrek aan hersens, natuurlijk!' Tim duikt snel weg voordat Nathan hem te grazen kan nemen.
'Hé, jongens!' roept vader vanuit de deuropening. 'Meester Hakker wil jullie spreken. Komen jullie even mee?'
Ongerust kijken de Misdaadmonsters elkaar aan. Moeten ze met z'n allen bij meester Hakker komen?
'Nou ja,' zegt Nathan opbeurend, 'laten we het maar zo zien: als we met z'n allen van school gestuurd worden, kunnen we met z'n zessen een detectivebureau oprichten. Dan gaan we ons voortaan helemaal richten op de bestrijding van de misdaad.'

Als de Misdaadmonsters even later met z'n zessen voor meester Hakkers kamertje staan, vliegt de deur al open voor ze kunnen aankloppen. Meester Hakker zelf staat in de deuropening.

'JA! ALLEMAAL NAAR BINNEN! HUP, HUP, HUP! WE HEBBEN GEEN UREN DE TIJD!' roept hij.

Nathan gaat met zijn vrienden de kamer binnen. Meester Hakker haast zich terug naar zijn bureau, laat zich op zijn krakende draaistoel zakken en buigt zich weer over het boek dat hij voor zich heeft liggen. Nathan ziet dat het boek openligt bij de plattegrond van de gang.

'Ga zitten, ga zitten!' zegt meester Hakker, wapperend met zijn linkerhand. 'Ja, jongens. Ik heb zonet mijn goede vriend de dominee maar eens even gebeld. Want ik heb nogal verontrustende geluiden gehoord van Nathan. En toen ik zelf eens naar die plattegrond keek, dacht ik: die jongens konden best wel eens gelijk hebben. Als er iemand een gat aan het graven is precies boven de ondergrondse gang, en nog binnenshuis ook, dan is dat inderdaad wel een beetje vreemd.

Ik persoonlijk dacht dat we maar eens even op onderzoek uit moesten gaan. En de dominee was het helemaal met me eens. En ik was het trouwens helemaal met hém eens dat jullie zoiets niet zomaar op eigen houtje kunnen doen. Ook al denken jullie dan dat jullie een soort meesterspionnen zijn, als ik het goed begrijp.'

Nathan kijkt opzij naar zijn vader. Die geeft hem een knipoogje. Nathan glimlacht terug.

'Dit is wat we gaan doen,' vervolgt meester Hakker. 'We gaan eerst naar huis om een boterhammetje pindakaas te eten, en zo meteen, om vijf uur, verzamelen we ons bij de kerk. Nathans vader en ik zullen als eersten onder de grond gaan om te kijken of de gang betrouwbaar is. En ALS - horen jullie het goed, ik zeg dus ALS!! dat zo is, mogen jullie met ons mee om een kijkje te nemen onder de grond. Het is per slot van rekening ook een stukje lokale geschiedenis, die gang. Een bijzonder nuttige buitenschoolse activiteit.'

De Misdaadmonsters knikken ijverig. Inderdaad, een nuttige naschoolse activiteit. Locale geschiedenis bestuderen! Precies wat ze het liefste doen in hun vrije tijd.

'Nu heb ik begrepen,' zegt meester Hakker, 'dat jullie denken dat er een nieuwe ingang naar de gang is gegraven. Als het goed is, komen we daar vanmiddag vanzelf achter. Is het niet zo, dan zijn we allemaal gerustgesteld. En is het wel zo, dan gaan we uiteraard naar de politie. Allemaal mee eens?'

De Misdaadmonsters knikken. Ze zijn helemaal verbijsterd. Wat ze ook verwacht hadden, niet dat ze onder leiding van meester Hakker de ondergrondse gang zouden mogen onderzoeken!

'Goed, dan zie ik jullie vanavond weer. Het archeologisch team van de Regenboogschool. Tot over een uurtje! En neem een zaklamp mee!'

HOOFDSTUK 15.

E en uurtje later staat er een opgewonden groepje jongens en meisjes samen met Nathans vader te wachten voor de deur van de kerk. Jaro is er ook bij. Alleen meester Hakker ontbreekt nog. De Misdaadmonsters laten elkaar zien wat ze hebben meegenomen van huis. Allemaal hebben ze een zaklamp bij zich. Nathan heeft daarnaast ook nog zijn zakmes meegenomen en laat zien dat je er mee kunt knippen, zagen en er zelfs mee kunt vissen.

'Tjonge, vissen? Handig onder de grond!' zegt Tim spottend.

'Wacht jij maar af, jongetje!' zegt Nathan. 'Misschien dat je me straks nog dankbaar bent.'

Arco heeft een oude legerhelm van zijn vader. 'Tegen vallend puin.'

Nathans vader schraapt zijn keel. 'Ik wil je niet teleurstellen, natuurlijk, Arco. Maar als er puin valt, kom jij die gang toch echt niet in!'

'Nou, dan mag u hem wel opzetten, als u de gang onderzoekt,' biedt Arco aan.

'Zeg, waarom heb je niet wat wapens meegenomen?' vraagt Tim. 'Heeft je vader soms geen pistool? Of zo'n stok waar je schokken mee kunt geven?'

'Nee, natuurlijk niet!' zegt Arco. 'En trouwens, denk je dat ik die dan mee zou krijgen? Ik was al blij dat ik nog weg mocht na gisteren!'

Robin haalt een stuk krijt uit zijn broekzak. 'Dan kunnen we steeds kleine pijltjes op de muur zetten,' zegt hij. Zodat we niet kunnen verdwalen.'

'Heel verstandig,' zegt Nathans vader goedkeurend. Naar Tims rugzak kijkend voegt hij er aan toe: 'En Tim, ik zie dat jij op alles bent voorbereid!'

'Ik wed dat die tas vol eten zit,' zegt Nathan. 'Tim is altijd bang dat hij honger zal krijgen.'

'Nou, dat valt wel mee hoor,' zegt Tim beledigd. Hij haalt een grote rol touw tevoorschijn, ('Als we dan boeven vangen, kunnen we ze tenminste vastbinden'), twee flessen sinas ('Voor als we vast komen te zitten onder de grond, want zonder drinken ga je in drie dagen dood'), een pak speculaas ('Het schijnt dat je gek wordt als je langer dan een maand niet eet').

'Tjonge, jij bent heel wat van plan,' zegt Nathans vader. 'Maar ik denk eerlijk gezegd niet dat de kans erg groot is dat je een maand lang onder de grond zit.'

Tim haalt zijn schouders op. 'Nou ja. Dan eten we het toch gewoon op. Hé, en kijk eens wat in de kist met verkleedspullen vond? De oude paardrijhelm van mijn moeder!'

'Tjonge, kan jouw moeder paardrijden?' zegt Robin. 'Dat heb je me nooit verteld!'

Tim haalt zijn schouders op. 'Nu niet meer denk ik. Dan zakt het paard door. Maar vroeger geloof ik wel. Wacht even, ik had nog wat mee... waar zat het ook al weer? O ja, hier!' Hij haalt vijf kaarsen en een pakje lucifers uit het voorvak van zijn rugzak. 'Voor als de zaklampen uitgeput zijn.'

Robin slaat zijn vriend op de schouder. 'Je bent een echte spion aan het worden. Je hebt aan alles gedacht!'

Janneke en Marieke hebben een vogelkooi bij zich met een kanarie erin. 'Voor als de zuurstof in de gang op is,' zegt Marieke. 'Zodra Pietie dood van zijn stokje valt, moeten we maken dat we de gang uitkomen. Dat deden ze vroeger ook altijd. De mijnwerkers.'

'Slim zeg,' zegt Nathan. 'Maar wel zonde van die kanarie. Is die van jou?'

'Nee, van mijn zus, natuurlijk. Ik ga echt mijn eigen kanarie niet meenemen! Stel je voor dat 'ie doodgaat!'

'En je zus vond het zomaar goed dat je haar kanarie meenam?'

Marieke haalt haar schouders op. 'Ze was er niet,' grinnikt ze.

'Met een beetje geluk ben ik thuis voordat ze het merkt.'

Eindelijk komt meester Hakker eraan gefietst. Op zijn hoofd draagt hij een witte bouwvakkershelm. 'Daar ben ik al!' zegt hij opgewekt als hij zijn fiets heeft vastgezet en zich bij de anderen heeft gevoegd. 'En ik zie dat het archeologisch team al helemaal klaarstaat. Keurig. Gaan we naar binnen, dominee?'
'Laten we maar gaan, meester,' zegt Nathans vader, terwijl hij met zijn sleutel de deur van de kerk opent.
Achter Nathans vader en de meester aan lopen de Misdaad-monsters de kerk in, op weg naar de kelder. Arco en Nathan schuiven samen de stapel stoelen aan de kant.
'Nou, daar gaan we dan!' zegt vader. Hij opent de deur en gaat de anderen voor het kleine kamertje binnen. 'Goed. We spreken het volgende af. Meester Hakker en ik gaan samen naar beneden om de gang te inspecteren. Jullie blijven hier wachten tot we weer terug zijn.'
De Misdaadmonsters knikken. 'En Jaro?' vraagt Nathan.
'Ik neem Jaro mee aan de riem. Dan kan hij er tenminste niet weer vandoor.'
Vader tilt het toegangsluik uit de houten vloer en kruipt onder de verwarmingsketel. Hij laat zich voorzichtig in het gat zakken. Als hij op de vloer staat, reikt Arco hem zijn helm aan. 'Zet die nou maar op, dominee! Het zou jammer zijn als u een hersenschud-ding kreeg.'
'Je hebt gelijk,' klinkt vaders stem van onder de grond. 'Ik zal hem opzetten. Nathan, mag ik jouw zaklamp mee? Ik zie geen hand voor ogen.'
'Oké! Hier komt 'ie!' Zonder na te denken gooit Nathan zijn zaklamp in het gat. Hij hoort hem met een harde tik vallen.
'Hé grapjas! Dat ding kwam op mijn hoofd terecht! Ben ik even blij met die helm van jou, Arco. Zeg meester, kom je nog?'
'Niet zo haastig, dominee! Ik doe mijn best,' steunt meester Hakker, die op zijn buik is gaan liggen en naar het gat toe pro-

beert te schuiven. Hij is eigenlijk een beetje aan de stevige kant, en past maar nauwelijks onder de verwarmingsketel.

'Oké, ik zie uw voeten! Zakken maar! Ik vang u wel op.'

De jongens proberen hun lachen in te houden als ze zien hoe de directeur van de school moeizaam in het gat zakt. Hij kijkt benauwd en zweetdruppels staan op zijn voorhoofd. Ineens is hij verdwenen. Vanuit het gat klinkt gezucht en gemopper. 'Vroeger ging dat allemaal stukken makkelijker!' horen ze. 'Dan sprong ik zo naar beneden. Wat hebben ze met dat gat gedaan! Het lijkt wel of het veel kleiner is geworden.'

'Misschien dat u zelf een beetje minder soepel bent?' zegt vader.

'Pas een beetje op uw woorden, dominee!' zegt meester Hakker. 'Eens even zien, waar heb ik mijn zaklantaarn? Ah, daar is hij. Dat is beter.'

'Oké, Nathan, heb je Jaro de riem omgedaan?'

'Ja, hij staat klaar. Toe maar, Jaro, spring maar naar de baas toe.'

'Jongens, we gaan nu de gang in,' zegt vader. 'We zien jullie over een half uurtje.'

'Doe voorzichtig, pap!' zegt Nathan. 'Je weet maar nooit.'

HOOFDSTUK 16.

'Hoe lang wachten we nu al?' vraagt Nathan voor de zoveelste keer. Met zijn vrienden zit hij op de vloer van het verwarmingshok te wachten tot het moment dat zijn vader en meester Hakker weer naar boven komen.

'Ruim een uur nu,' zegt Arco.

'Wel een beetje lang,' zegt Nathan.

'Joh, je weet toch zelf hoe lang die gang is! Van hier tot aan het kasteel! Dat is volgens mij wel twee kilometer! En dan moeten ze ook nog weer terug! Ze zullen zo wel komen.'

'Volgens mij is het juist goed nieuws dat ze er nog niet zijn,' zegt Marieke. 'Ze zouden meteen terugkomen als het niet veilig was. Of als ze zouden zien dat er een extra ingang was gegraven. Dan wilden ze toch naar de politie?'

'Dus als ze zo lang wegblijven betekent dat dat er helemaal geen tweede ingang is!' zegt Nathan.

'Ik denk het. Ik denk dat we ons dan toch vergist hebben,' zegt Marieke.

'Ik weet het niet,' zegt Nathan. 'Ze zouden in een half uur weer terug zijn. Ik vind het maar vreemd.'

'Laten we erachteraan gaan,' stelt Tim voor. 'Wie weet zijn ze in nood. Dan kunnen we mooi mijn noodvoorraad gebruiken!'

'Als er maar eten aan te pas komt, dan vind jij alles best,' moppert Nathan. 'Eet dat pak speculaas toch zelf op als je zo'n honger hebt. We mogen die gang helemaal niet in voor ze terug zijn, dat weet je toch!'

'Kom op, laten we een spelletje doen,' stelt Arco voor. 'Dan gaat de tijd wat sneller. Ik neem iets in mijn gedachten en jullie proberen het te raden.'

Een half uur later zijn ze allemaal al drie keer aan de beurt geweest. Maar vader en meester Hakker zijn nog altijd niet terug. Nathan begint nu toch wel ongerust te worden.

'Zou er wat gebeurd zijn?' zegt hij.

Tim knikt. 'Dat zou heel goed kunnen. Misschien hebben ze wel een steen op hun hoofd gekregen. Of misschien is een deel van de gang ingestort en kunnen ze niet meer terug. Dat hoor je vaak.'

'Doe toch niet altijd zo vervelend, jij,' zegt Robin. 'Met je rare verhalen. Geloof er maar niks van, Nathan. Hij kletst maar een eind weg.'

'We wachten nog een half uur,' zegt Arco. 'Ik wed dat ze dan terug zijn. Misschien zijn ze zelf wel naar een schat aan het graven.'

'En wat doen we als dat halve uur voorbij is?' vraagt Nathan.

'Dan gaan we zelf maar eens even een kijkje nemen.'

Nathan zwijgt. Hij weet dat ze niet zelf de gang in mogen. Maar aan de andere kant heeft vader ook niet gezegd wat de jongens zouden moeten doen als hij en de meester niet meer terug zouden komen. Ze kunnen ze toch moeilijk onder de grond laten zitten en weer naar huis gaan alsof er niets gebeurd is!

Maar dan ineens hoort hij wat van onderuit de gang – het geroffel van hondenpoten. Het geluid komt snel dichterbij. Zouden ze daar zijn? Nathan springt overeind en gaat op zijn knieën bij het gat zitten. Even later ziet hij Jaro kwispelstaartend onderaan het gat staan.

'Brave hond! Waar is de baas?'

Jaro blaft.

'Komt hij er zo aan? Wacht maar, ik help je vast even omhoog.' Nathan laat zich naar beneden zakken en tuurt de donkere gang in. Vader en meester Hakker zijn nog niet in de buurt – er is nog geen licht te zien in de verte. Maar ze kunnen natuurlijk ook niet zo snel als Jaro. Nathan bukt zich. 'Toe maar, Jaro! Hop!'

Jaro begrijpt meteen wat de bedoeling is. Hij springt eerst op

Nathans rug en van daaraf springt hij het verwarmingshok in. Arco en Robin helpen Nathan weer naar boven.

'Hé! Dat is vreemd!' zegt Nathan als hij naar Jaro kijkt. 'Moet je zien! Hij heeft zijn riem nog gewoon om! Raar hoor! Als hij los mag, doen we de riem altijd af, zodat hij er niet over kan struikelen. Het lijkt wel of hij zich losgetrokken heeft!'

'Misschien rook hij een rat!' zegt Arco.

'Je denkt toch niet dat mijn vader de riem zomaar uit zijn hand laat glippen! Ik vind het maar raar! Zou er wat gebeurd zijn?'

De jongens kijken elkaar aan. Jaro kan ze ook niets vertellen.

'Ik ga de gang in,' zegt Arco. 'Even zien of ze er al aankomen.'

'Nee, niet doen,' zegt Nathan, terwijl hij Jaro zijn riem afdoet. 'Je weet toch niet of hij betrouwbaar is!'

'Rustig nou maar,' zegt Arco. 'Ik weet wat ik doe. Ik ga niet ver. Een klein eindje. Ik ben zo terug.'

Zonder het antwoord van de anderen af te wachten, laat hij zich in het gat zakken. Hij knipt zijn zaklantaarn aan en is verdwenen. Ongerust wacht Nathan af. Hij vindt het helemaal niet leuk meer. Kwamen ze nu maar!

Maar het is alleen Arco die tien minuten later weer onderaan het gat staat. 'Niets te zien,' zegt hij zacht. 'Ik kom weer naar boven.'

'De gang ziet er prima uit,' vertelt hij even later. 'Ik heb die kelder gezien die ze in de oorlog gebruikt hebben. En toen ben ik nog een klein eindje verder gegaan. Maar ik heb ze niet gezien. En ik heb trouwens ook niets gehoord.'

Nathan krijgt een beetje pijn in zijn buik. 'Wat zou er gebeurd kunnen zijn?'

'Ik heb een idee!' zegt Robin. 'Tim, heb jij je mobieltje bij je?'

'Tuurlijk.' Tim zoekt in zijn jaszak en haalt hem tevoorschijn. 'Je kent mijn moeder toch! Ik mag niet eens van huis zonder!'

'Jaro brengt de telefoon toch wel eens naar jullie toe, Nathan? Zullen we hem met Tims mobieltje naar je vader toesturen? Als er dan wat is, dan kan hij ons gewoon bellen!'

Nathans gezicht klaart op. 'Goed idee! We sturen hem weer terug de gang in!' Hij zwijgt even. 'Maar welk nummer moeten ze dan bellen?'

'Tadaaa!' Arco haalt een telefoontje uit zijn zak. 'Kijk eens! Meegenomen van thuis!'

'Ik wist niet dat jij ook een mobieltje had!' zegt Nathan.

'Een ouwe van mijn vader. Moet je kijken hoe ouderwets. Een surfplank noemen ze dat.'

'Slim van je om hem nu mee te nemen. Maar hoe weet mijn vader nu ooit wat jouw nummer is?'

'Ik zet het gewoon bovenaan in het adresboek van Tims telefoon.' Arco pakt Tims mobiele telefoon aan en drukt snel wat toetsen in. 'Zo, opgeslagen. Hij staat bovenaan. Alsjeblieft.'

Nathan pakt Jaro bij zijn kop en kijkt hem indringend aan. 'Jaro, breng de telefoon naar de baas. Snel!' De hond blaft alsof hij Nathan begrijpt. Voorzichtig neemt hij de telefoon tussen zijn tanden. En even later verdwijnt hij de donkere gang in.

'Zo. Nu hoeven we alleen maar even af te wachten,' zegt Robin. Over een minuut of tien zal je vader wel bellen.'

HOOFDSTUK 17.

N athans vader en meester Hakker liggen met hun ruggen tegen elkaar in de koude, donkere gang. Hun voeten en armen zijn stevig vastgebonden, en ze kunnen geen kant op. Ze zijn volkomen verrast door Janus en Geert, die hen van achteren hebben neergeslagen en hen daarna hebben gekneveld.

'Mijn hoofd!' kreunt meester Hakker. 'Wat een bijzonder onvriendelijke ontvangst. Er zijn mensen die van huis uit weinig manieren hebben meegekregen. Ik weet niet wie die twee kerels waren, maar ze hebben er in ieder geval geen idee van hoe ze bezoekers horen te ontvangen. Zou u die elleboog alstublieft uit mijn rug kunnen halen, dominee!'

'Sorry, dat lukt niet,' zegt Nathans vader. 'Ik zit net zo vast als u. Ik hoop maar dat de jongens zo slim zijn om de politie te bellen. Nog een geluk dat Jaro weg kon komen.'

Hij zwijgt even en vervolgt dan: 'Het is dat ik vastgebonden ben, anders zou ik mezelf voor de kop slaan! Waarom hebben we niet afgesproken wat de jongens zouden moeten doen in geval van nood! Als die lui in het geheim een gang aan het graven zijn, willen ze daar natuurlijk geen pottenkijkers bij hebben. Dat hadden we van tevoren kunnen bedenken!'

Een eindje verderop klinkt gestommel en een zachte plof. Een klein lichtje danst op en neer en grote schaduwen komen steeds dichterbij.

'Zo! Ik kom eens even een kijkje nemen,' klinkt een zware stem. 'Twee vliegen in een klap, dat is niet mis. Laat me eens even zien wie mijn gasten zijn.' Kale Carlos schijnt met zijn zaklamp in het gezicht van de meester. 'Hé! Maar dat lijkt Harold Hakker wel! Dat is lang geleden!'

'Pardon?' zegt meester Hakker, knipperend tegen het felle licht. 'Met wie heb ik de eer?'

'Nog steeds dat bekakte toontje? Je bent weinig veranderd, Harold! Als kind was je ook al zo'n eigenwijze kwallebak! En wie hebben we daar? Jou ken ik niet.'

'Dan kom je zeker nooit in de kerk,' zegt Nathans vader.

Carlos lacht. 'Precies! Dat heb je goed gezien! Zeg, ik zou jullie graag een wat comfortabeler plek aan willen bieden, maar helaas. Jullie zullen even geduld moeten hebben. Mijn jongens en ik moeten vanavond een klein klusje opknappen, en dat kunnen we niet door jullie in de war laten schoppen. Door jullie schuld moeten we alles al een dag vervroegen. Maar goed, ik ben ook de beroerdste niet. Morgen, als we het land uit zijn, zal ik even iemand inseinen dat jullie hier vastzitten. En dan zijn jullie hier zo weg. Dus even de tanden op elkaar. Het zal wel een beetje koud zijn vannacht, maar jullie kunnen elkaar in elk geval warm houden, nietwaar?'

Grinnikend loopt Carlos weer terug naar de plek waar hij vandaan kwam. Langzaam wordt het weer aardedonker in de gang.

'Wie is dat!' sist Nathans vader.

'Geen idee!' zegt meester Hakker. 'Hij hield de zaklamp zo dat ik zijn gezicht niet kon zien.'

'Ja, maar hij kent u! Hij noemde u bij uw voornaam! Hij kende u al als kind! Dan moet u hem toch ook kennen?'

'Ik pijnig mijn geheugen, maar op het moment zou ik het niet weten. Zijn stem herkende ik niet. En zijn gezicht kon ik niet zien. Ik zag alleen dat hij nogal dik was. Hé, wat is dat! Wat staat daar voor akelig beest in mijn nek te hijgen!'

'Akelig beest!' zegt vader verontwaardigd. 'Dat is Jaro! Die hond kan onze redding zijn! Kom hier, Jaro!'

De hond loopt naar zijn baas toe, laat de telefoon bovenop zijn buik vallen en geeft hem een lik in zijn gezicht.

'Brave hond! Wat heb je meegenomen? Pak het eens op! Ik kan er niet bij.'

Gehoorzaam pakt Jaro de telefoon weer in zijn bek. Heel voorzichtig houdt hij hem bij het hoofd van Nathans vader, alsof hij hem de telefoon in zijn mond wil stoppen. Als vader niet toehapt, valt de telefoon naast zijn gezicht op de grond.

'Het voelt koud en hard aan. Volgens mij is het een telefoon. Ik geloof dat de jongens door hebben dat er iets aan de hand is. Kon ik mijn handen maar los krijgen!'

Vader probeert zijn polsen los te wringen, maar het heeft geen enkele zin. Geert en Janus hebben stevige knopen gelegd.

'Ga terug naar Nathan, Jaro!' beveelt vader. 'Toe maar! Je bent een brave hond!'

Jaro draait zich om en gaat er weer vandoor. De twee mannen blijven achter op de harde koude vloer.

'Als ik nou iets kon zien,' zegt vader, 'dan kon ik met mijn neus proberen het nummer van de politie in te toetsen.'

'Dat is niet eens zo'n gek idee,' zegt meester. 'Probeer of u de aan-knop kunt vinden, dominee. Waarschijnlijk springt er dan ook een lichtje aan. En dan kunt u het alarmnummer proberen in te toetsen.'

Vader probeert zijn lichaam zo te draaien dat hij met zijn neus bij de telefoon kan. Meester Hakker draait al kreunend mee. Met zijn kin schuift vader de telefoon een eindje op, en met zijn neus probeert hij daarna de ene na de andere toets.

'Ik geloof dat mijn neus een beetje te breed is voor een mobiele telefoon!' zucht hij. 'Ik druk steeds een paar toetsen tegelijk in.'

'Is hij al aan?'

'Nee, nog niet. Of – ja, er gaat nu een lichtje aan. Mooi. Goed idee van je, Harold. Nu ga ik proberen 1-1-2 te bellen.'

Na een paar pogingen waarbij vader steeds de verkeerde toetsen indrukt met zijn neus, lukt het hem eindelijk. Op het schermpje staan de cijfers 1-1-2. Nu nog de groene toets. Gespannen wacht vader op het moment dat de telefoon over zal gaan en hij iemand te spreken zal krijgen. Maar er gebeurt niets.

Waarom niet? Hij heeft toch alles goed gedaan? Maar dan ineens dringt het tot hem door. Ze hebben niets aan de mobiele telefoon. In een ondergrondse gang kun je niet bellen.

HOOFDSTUK 18.

In een hoek van de sportschool is Mat bezig met zijn halters. Hij kijkt in de spiegelwand en ziet de spieren van zijn linker bovenarm telkens opzwellen en weer kleiner worden. Zijn gedachten dwalen af. Deze morgen, toen hij naar beneden ging om een fles melk voor zijn zoontje op te warmen, zag hij een envelop op de mat bij de voordeur liggen. Er zat een papiertje in met nummers. De nummers van de schilderijen die hij morgennacht moet stelen. Toen hij het zag heeft hij er even over gedacht om zijn vrouw in vertrouwen te nemen. Om haar alles te vertellen en samen een oplossing te zoeken. Maar hij kon het niet. Hij mag haar niet in gevaar brengen.

Hij pakt de halter over in zijn rechterhand. Zal hij ooit nog los kunnen komen van zijn verleden? Zal hij ooit los komen van Carlos? Een gedachte komt bij hem op. Waarom zou hij niet naar de politie kunnen gaan? Vertellen wat Carlos van plan is? Maar meteen weet hij dat dat geen enkele zin heeft. Iemand met zijn verleden zullen ze toch nooit geloven.

Een van de trainers komt naar hem toe met een telefoon in de hand. 'Hé, Mat. Het is voor jou.'

'Dank je!' Mat legt zijn halter neer en pakt de telefoon aan. 'Hallo?'

'Ja, het is met mij,' klinkt de stem van Kale Carlos. 'Problemen. We hebben onverwacht bezoek gekregen. Je moet nu meteen komen. We moeten alles een dag vervroegen.'

Mat antwoordt niet. Meteen komen... Hij heeft niet eens afscheid van zijn vrouw en zijn zoontje genomen.

'Hallo, ben je daar nog?'

'Ik ben er.'

'Ik verwacht je over een kwartier in het kantoor.' En met die woorden gooit Carlos de hoorn op de haak. Mat sluit zijn ogen.

En denkt na. Wat voor keus heeft hij? Had hij maar met iemand kunnen praten. Iemand die hij kon vertrouwen. Iemand die hem kon helpen. Langzaam komt hij overeind. Hij legt de halter terug op het rek, doet zijn handschoenen uit en brengt de telefoon terug naar de bar.

'Stop je er al mee?' vraagt de trainer. 'Je bent er nog maar net!'

Mat knikt. 'Ik heb het druk vandaag.'

'Kan gebeuren! Nou, tot morgen dan maar.'

Tot morgen? Zou hij hier ooit nog terugkomen? Hij verdwijnt naar de kleedkamer om zich te douchen en om te kleden. Vroeger zou zo'n telefoontje hem een plezierig gevoel van spanning hebben gegeven. Toen vond hij het een sport om in te breken, om de beveiliging te slim af te zijn. Het was zijn vak, en hij was er goed in. Hij zag zichzelf als een sportman die het tegen anderen op moest nemen. De kick als het hem gelukt was!

Maar nu is het anders. Nu voelt het alsof iemand hem tegen zijn zin een diep, zwart meer in probeert te trekken. Hij wil niet. Maar wat kan hij doen?

HOOFDSTUK 19.

In het verwarmingshok loopt de spanning steeds verder op. Jaro is al lang weer terug. Zonder telefoon. Maar Nathans vader heeft nog steeds niet gebeld. Nathan voelt zijn maag samenknijpen van angst. Waarom belt hij niet? Als er maar niet iets ergs gebeurd is. Waarom wou hij toch ook die stomme gang onderzoeken! Hij denkt diep na. En dan neemt hij een besluit.

'Geef me een zaklamp. Ik ga de tunnel in. Samen met Jaro. Hij brengt me naar mijn vader toe.'

'Wij gaan mee,' zegt Arco. 'Je moet niet in je eentje die tunnel in gaan.'

'Ik ga jullie niet in gevaar brengen. Het is mijn vader! Ik ga alleen!'

'Nee, wij gaan mee,' zegt Arco.

'Doe nou niet zo stom!'

'Doe jij zelf niet zo stom!' zegt Arco. 'Er is heus niks aan de hand met je vader hoor. Maar áls er wat gebeurd is, moet je er niet in je eentje op af. Weet je wat? Wij gaan met z'n tweeën. En Robin, jullie wachten hier met z'n vieren nog een half uur. Als we dan nog niet terug zijn, bellen jullie de politie. Oké?'

Robin knikt. Hij haalt het stuk krijt uit zijn broekzak en geeft het aan Arco.

'Hier, mijn zaklamp,' zegt Tim tegen Nathan. 'En de cap van mijn moeder. Zet die maar op. Je weet maar nooit wat er naar beneden komt vallen. Stel je voor dat de rioolbuizen ergens kapot zijn, en je loopt er net onderdoor als iemand de wc doortrekt! En neem mijn rugzak ook maar mee. Dan heb je tenminste wat te eten en te drinken als je vast komt te zitten. En kaarsen voor als je zaklamp het niet meer doet. Trouwens, ik heb eens gelezen dat je kaarsen ook op kunt eten. In geval van nood dan hè. Want ze zullen wel niet zo lekker zijn.'

'Nou, dank je wel, Tim,' zegt Nathan, terwijl hij de cap opzet. Nu hij actie kan ondernemen voelt hij zich ineens weer wat vrolijker worden. 'Heel vriendelijk dat we je kaarsen op mogen eten.'

Met z'n drieën gaan ze naar beneden, de donkere gang in, de twee jongens en de hond. Nathan knipt zijn zaklamp aan en kijkt om zich heen. Wat is het donker hier. En koud. Heel wat kouder dan in het verwarmingshok. Hij rilt.

'Nathan!' klinkt ineens de stem van Marieke vlakbij. Nathan deinst achteruit. Vlak voor zich ziet hij Mariekes hoofd ondersteboven uit het gat hangen.

'Ja?'

'Wil je Pietie mee?'

'Nee, dank je wel.'

'Weet je het zeker? Misschien is de zuurstof in de gang opgeraakt en zijn je vader en meester Hakker bewusteloos!'

Nathan antwoordt niet. 'Kom op, Jaro,' zegt hij. 'Waar is de baas? Zoek!'

Meteen gaat Jaro ervandoor. Hij trekt zo hard dat Nathan bijna de riem laat schieten. Hij slaat de lus om zijn pols en pakt de riem stevig beet. 'Rustig aan, Jaro! Ik kan niet zo hard! Het is hier veel te donker!'

'Kijk eens om je heen!' zegt Arco. 'Dit moet die schuilkelder zijn.'

Nathan blijft staan en schijnt rond met zijn zaklamp. Een grote, lage ruimte wordt zichtbaar. Tegen de muur staan een paar oude, ijzeren kasten vol roestplekken. Een van de deurtjes hangt scheef. Op de grond in een hoek ligt een stapel versleten matrassen. Jaro staat ongeduldig aan de lijn te trekken.

'Je hebt gelijk. Jaro,' zegt Nathan. 'We gaan verder.'

'Wacht even,' zegt Arco. 'Heb je erover nagedacht wat er met je vader en met meester Hakker gebeurd kan zijn? Ik heb zitten denken... Als mister Pitbull ze heeft gepakt, dan lopen wij misschien ook gevaar.'

'Wil je soms weer terug? Ik ga wel alleen verder.'

'Nee, natuurlijk niet! Maar ik bedoel alleen dat we heel zachtjes moeten doen. Dat ze ons niet horen aankomen.'

'Oké.'

Zonder praten lopen de jongens verder de smalle gang in. Nathan huivert. Hij is blij dat hij niet alleen is hier. De gang draait en kronkelt. Arco zet steeds witte pijltjes op de muur, ook al is er geen enkele zijgang te zien. Ineens lijkt het wel alsof het wat lichter wordt. Als de jongens iets verder komen, stuiten ze op een laag aarde en puin. En wanneer ze daar overheen stappen, zien ze tegen de muur van de gang een ladder staan. Als ze langs de ladder naar boven kijken zien ze een gat waar gedempt licht uitkomt. 'We staan onder het kantoortje!' fluistert Nathan. 'Janneke en Marieke hadden gelijk!'

Zachtjes lopen de jongens verder. Plotseling horen ze iets in de verte. Alsof er een paar mensen zacht met elkaar aan het praten zijn. Nathans vader en meester Hakker? Vanaf deze afstand is het niet te horen.

Arco stoot Nathan aan. 'Voorzichtig. Je weet niet wie het zijn.'

'Luister,' zegt Nathan zachtjes. 'Ik ga nu in mijn eentje vooruit om te kijken. Jij wacht hier. Als er wat gebeurt, kun jij hulp halen. Oké?'

'Nee. We gaan samen,' fluistert Arco. 'Dat hebben we toch afgesproken!'

'Toe nou!'

'Nee! Waarom wil jij toch zo graag in je eentje de held uithangen!'

'Ik wil niet de held uithangen! Ik wil alleen zo voorzichtig mogelijk zijn. Voor we verder gaan moeten we eerst weten wie die lui zijn. Ik kom je zo halen. Doe je zaklamp uit.'

Arco haalt zijn schouders op. Hij knipt zijn zaklamp uit en blijft in het duister staan wachten, terwijl Nathan in zijn eentje verder gaat.

Nathan schermt zijn zaklamp af met zijn hand om zo min mogelijk licht te maken. Hij moet nu helemaal goed oppassen waar hij loopt. Zo af en toe blijft hij stil staan om te luisteren. Maar op het bonzen van zijn eigen hart na hoort hij niets meer. Zou hij zich het gepraat verbeeld hebben? Was het wel zo slim van hem om Arco achter te laten en alleen verder te gaan? In zijn hoofd hoort hij een liedje van een cd die zijn zusje vaak draait.

Ik ben nooit alleen
in 't donkere bos
Hij laat me niet los...

Gek dat hij daar nu ineens aan moet denken. Terwijl hij helemaal niet in het bos is. Maar als je niet alleen bent in een donker bos, dan ben je ook niet alleen in een donkere ondergrondse gang. Dat is eigenlijk wel een geruststellend idee.

Ineens voelt hij Jaro's staart tegen zijn benen aanslaan. De hond kwispelt! Dat betekent dat zijn baas in de buurt moet zijn! Nathan schijnt rond met zijn zaklamp, en ontdekt dat er een paar meter bij hem vandaan een groot ding op de grond ligt. Wat is dat! Het lijkt wel een monster met twee koppen! Nathan zou het liefst wegrennen, maar Jaro trekt hem mee, de kant van het monster op. En dan ziet Nathan ziet dat het helemaal geen monster is. Op de grond liggen twee mannen. Zijn vader en meester Hakker. Hij valt op zijn knieën en buigt zich over zijn vader heen.

'Pap!' roept hij, terwijl hij zijn vader door elkaar schudt. 'Wat is er gebeurd! Leef je nog?'

'Nathan!' zegt zijn vader verrast. 'Au! Zachtjes! Ja, ik leef nog. Op een buil op mijn hoofd na mankeer ik niets. Ik had gelukkig die helm op. Maar we zitten vast. Kun je ons losmaken?'

Nathan laat Jaro los en haalt zijn zakmes uit zijn achterzak. Wat een geluk dat hij eraan gedacht heeft om het mee te nemen. Dat moet hij straks aan Tim vertellen. Die zat hem nog uit te lachen! Snel knipt hij het mes open en snijdt de touwen door waarmee zijn vaders handen aan die van meester Hakker zitten vastgebonden.

Ineens hoort hij Jaro hard blaffen, en daar overheen de stem van zijn vader. 'Pas op! Achter je!' Nathan wil achterom kijken, maar op hetzelfde moment krijgt hij een harde tik op zijn achterhoofd.

Geluidloos valt hij op de stenen vloer.

'Ben je nou helemaal!' schreeuwt vader tegen de man die zijn zoon heeft neergeslagen. 'Een kind tegen de vlakte slaan! Hoe kun je!' Hij probeert overeind te komen om zijn zoon te kunnen helpen, maar valt halverwege weer terug. Zijn voeten zitten nog vastgebonden.

'Effe dimme ja?' zegt de man. 'Er is niks met dat ventje aan de hand. Gewoon een aigewais opdondertje dat effe een dreun nodig had. Pedogoogiese tik noeme se dat tegewoordig. Ik sal jou en je maat weer es gesellig aan mekaar vastbinde. En werk een beetje mee, ja, anders kraigt dat ventje nog een extra dreun van me, gesnope? We legge hem gesellig bij je. Dan legge jullie ons niet in de weg straks. Es kijke – hé, wat sie ik daar? Een mobieltje! Neem ik mee voor de baas, als je het niet erg vind. En dat sakmes – ja, sorry hoor, je mot 'me maor niet kwalijk neme, dat neem ik ook effe in. Verder nog wat aan te geve? Niks? Goed, dan gaan we weer. Des te eerder sain jullie ook weer vrai, mot je maor denke.'

Terwijl Janus en Geert samen wegklossen door de gang en het langzaam weer donker wordt, hoort vader Janus vragen: 'Seg, was hier nou een hond? Ik dacht warempel toch dat ik een hond zag! Blafte d'r niet wat? Zou het die pitboel van de baas sain? Nou, dan sijn se nog niet jarig, die drie. Dat kreng is so vals as een kenarie!'

HOOFDSTUK 20.

N athan wordt wakker met een stekend gevoel in zijn achter-hoofd. Vlakbij zijn oor hoort hij de stem van zijn vader.
'Nathan, Nathan!'
'Wat?' zegt hij slaperig. 'Het is nog donker. Ik wil nog niet uit bed.'
'Nathan, hoe gaat het?'
'Ik heb het koud,' zegt Nathan. 'Au. Mijn hoofd.'
'Weet je waar je bent?'
Ineens schrikt Nathan wakker. Langzaam komt zijn geheugen terug. Hij is achter zijn vader aangegaan. Maar hoe komt hij hier nu terecht? Hij probeert overeind te komen, maar merkt dan dat hij vast zit. Hij kan zijn armen en benen niet bewegen. Hij voelt de paniek opkomen en worstelt om los te komen.
'Help! Ik kan me niet bewegen!'
'Rustig blijven,' zegt vader. 'Ze hebben je vastgebonden. Net als ons. Maar het komt allemaal goed. Blijf maar zo stil mogelijk liggen. Ik ben vlak bij je.'
'M'n zakmes! Waar is m'n zakmes!'
'Dat hebben ze meegenomen, helaas.'
'Waarom heb je ons niet gebeld, pap! Heeft Jaro je dat mobieltje van Tim niet gebracht?'
'Jawel, jongen. Geweldig idee van je. Alleen deed 'ie het niet onder de grond. Net als wanneer je met de auto door een tunnel rijdt, weet je wel? Dan doet hij het ook niet.'
'Stom. Daar hadden we helemaal niet aan gedacht!'
'Nathan,' klinkt de stem van meester Hakker.
'Ja meester?'
'Jullie hadden helemaal gelijk, jongen. Er is inderdaad een extra gang gegraven.'
'O. Zie je wel,' zegt Nathan onverschillig. 'Pap?'
'Ja?'

'Hoe lang lig ik hier al?'

'Tien minuten, denk ik.'

'Luister, pap.' Nathan dempt zijn stem. 'Heb je Arco ook gezien?'

'Nee. Die is hier toch niet ook, hoop ik?'

'Ja, we zijn samen gegaan,' fluistert Nathan. 'Maar toen we een eind in de gang waren, hoorden we ineens gepraat. En toen ben ik in mijn eentje vooruitgegaan om te kijken. We wisten niet zeker of jullie het waren. En hij zou hulp halen als er wat gebeurde.'

'Goed zo,' fluistert vader terug. 'Dat scheelt weer. Ze zeiden dat we hier een hele nacht zouden moeten blijven.'

'Dat geloofde je toch zeker niet! Wij wisten toch ook dat jullie hier zaten!'

'Ja, maar zij weten niets van jullie af. En dat hebben we maar zo gehouden, als je het niet erg vindt.'

'Ssst!' zegt meester Hakker. 'Er komt weer iemand.'

'Houd je slapend!' fluistert vader tegen Nathan.

Even later schijnt er een felle zaklamp in Nathans gezicht. Het kost hem moeite om zijn ogen dicht te houden en niet te laten merken dat hij klaarwakker is.

'Wie hebben we daar!' hoort hij een bekende stem. 'Dat lijkt wel dat nieuwsgierige ettertje dat me voortdurend het leven zuur maakt. Hoe komt die hier?'

'Dit,' zegt vader streng, 'is mijn zoon. En een van jouw medewerkers heeft hem bewusteloos geslagen.'

'Mooi zo,' zegt Kale Carlos. 'Enne... heeft hij zijn vriendjes ook meegenomen?'

Nathan vraagt zich af wat zijn vader zal antwoorden. Vader heeft een vreselijke hekel aan liegen. Zelfs aan leugentjes om bestwil. Hij hoopt maar dat hij nu niet al te moeilijk doet. Als deze man gaat zoeken naar zijn vrienden, zou het allemaal wel eens verkeerd kunnen aflopen.

'Mijn zoon mocht voor één keer met ons mee om de ondergrondse gang te bekijken,' antwoordt vader. 'Een archeologische expeditie. En nee, zoals u ziet heeft hij zijn vrienden niet meegenomen.'

Carlos lijkt het te geloven. 'Eerlijk gezegd vind ik het niet zo heel verstandig van u,' zegt hij. 'Een kind meenemen in een onderaardse gang. Hebt u enig idee wat voor ongelukken er hier kunnen gebeuren! Onverantwoordelijk noem ik het. Nou ja, mocht hij nog bijkomen, doe hem dan maar de groeten van Jan de Vries.'

'Jan de Vries?' hoort Nathan ineens de stem van meester Hakker. 'Kars van der Sloot zal je bedoelen! Ik weet het weer! Jij hebt vroeger met Guus en mij in deze gang gespeeld! Vandaar dat je er vanaf wist!'

'Zozo, Harold heeft zijn geheugen weer terug! Jammer voor je, Harold, je hebt het mis. Ik heet al heel lang geen Kars van der Sloot meer. Tegenwoordig ben ik iemand anders.'

Carlos staat zo druk te praten dat hij het lichtje niet ziet dat achter zijn rug snel dichterbij komt. Vader en meester Hakker zien het wel. Zou er hulp aankomen? Ze proberen Carlos aan de praat te houden, zodat hij niet doorheeft wat er aan de hand is.

'Ben jij die vent die zijn pitbull op mijn zoon en mijn hond heeft afgestuurd? En die niks deed om mijn zoon te helpen?' vraagt vader.

Carlos grinnikt. 'Je had erbij moeten zijn. Het was een kostelijk gezicht. Dat kleine ventje met die twee grote honden! Ik moet toegeven, dapper is hij wel.'

Met ingehouden woede zegt vader: 'En dan ben jij dus ook degene die het waterpistool van mijn zoon heeft ingepikt?'

'Van je zoon? O, ik dacht dat het van een van die andere ventjes was. Maar inderdaad, dat – hé, wat moet dat daar! Laat me los!'

'Nee, ik laat jou niet los, Carlos!' klinkt een stem. 'Jij smerig zwijn!'

Er klinkt een doffe bons, en ineens is het weer donker in de gang. Te horen aan de geluiden wordt er vlakbij hen gevochten. En het lijkt er veel op dat de man die net gekomen is in het voordeel is.

'Jij vette ouwe kale vent!' Zijn stem klinkt woedend. 'Je dacht toch niet dat ik hier aan meedeed! Ik zag het wel! Je hebt daar mensen liggen! En notabene zelfs een kind! Ik mag dan wel eens ingebroken hebben, maar nooit, hoor je, nooit in mijn leven heb ik een mens iets aangedaan! En al helemaal geen kind! Hoe haal je het in je bolle vette kop! Als ik een schaar had, knipte ik zo die achterlijke snor van je gezicht af!'

'Mat, laat me onmiddellijk los,' hijgt Carlos. 'Je begrijpt het niet. Dat heb ik niet gedaan, dat hebben Janus en Geert gedaan. Je dacht toch niet dat ik ooit een kind vast zou binden?'

'O nee? Maar ik zag je ook geen pogingen doen om ze weer los te maken!'

'Je krijgt hier spijt van, Mat. Denk aan je vrouw en aan je zoontje. Au!'

'Ik heb er al spijt van,' zegt Mat grimmig. 'Ik heb spijt als haren op mijn hoofd dat ik ooit naar je geluisterd heb. Dat ik me door jou heb laten overhalen om opnieuw voor jou te gaan inbreken. Zodat jij er rijker van zou worden.'

'Jij zou er zelf ook rijker van worden, Mat. Denk na! Die schilderijen zijn miljoenen waard! Je laat toch zeker niet alles in de war schoppen omdat hier wat mensen liggen? Kom op, Mat. Dat zijn gewoon twee nieuwsgierige bemoeizuchtige mannetjes en een verschrikkelijk irritant roodharig ventje. Het zal ze helemaal geen kwaad doen om hier een nachtje op de stenen vloer door te brengen. Morgenvroeg zijn we het land uit. Dan mag jij hoogstpersoonlijk de politie bellen om te zeggen dat ze hier liggen. Afgesproken?'

'Ik heb een verrassing voor je, Carlos. Ik héb de politie al gebeld.'

Ineens is de gang vol licht en vol lawaai. Het lijkt wel alsof er overal politieagenten staan. Mat trekt Carlos overeind, en twee agenten nemen hem over. Ze zetten hem tegen de muur en fouilleren hem. Een van hen vindt een pistool. Terwijl hij het in een plastic zak stopt, doet de ander Carlos handboeien om.

Mat knielt naast Nathan neer. 'Gaat het een beetje, jongen?' vraagt hij. Uit zijn broekzak haalt hij een mes waarmee hij de touwen doorsnijdt.

'Ik geloof het wel,' zegt Nathan. 'Au, mijn polsen! Dat doet pijn!'
'Ja, het bloed gaat weer stromen. Dat doet even pijn. Doe maar
even rustig aan. Niet te snel overeind komen. Ben je gewond?'
'Ik geloof het niet. Alleen mijn hoofd doet een beetje pijn.' Nathan
voelt aan zijn hoofd. Er zit een grote bult, en zijn haar voelt warm
en kleverig aan. Bloed? Mat schijnt met zijn zaklamp op Nathans
achterhoofd.
'Dat zal wel pijnlijk zijn,' zegt hij. 'Je moet er zo even naar laten
kijken. Denk je dat je kunt lopen?'
'Tuurlijk,' zegt Nathan. 'Hoe gaat het met jou, pap?'
Vader, die inmiddels bevrijd is door een van de agenten, zit nog
op de grond en wrijft over zijn polsen en zijn enkels. 'Met mij gaat
het prima, jongen. Kom op. Ik heb geloof ik wel genoeg van deze
naargeestige gang. Mogen we gaan, agent?'
'Nog een moment,' zegt de agent. 'Ik wil u nog heel even hier
houden. Mijn collega's zijn op zoek naar de rest van de mannen.
Ah, ik geloof dat ze er al aankomen.'
Een groepje agenten komt aangelopen. Janus en Geert lopen
geboeid tussen hen in. Janus kijkt woedend, en Geert laat zijn
hoofd hangen alsof hij al lang wist dat het allemaal wel weer mis
zou lopen.
'Dat zijn ze?' vraagt een van de agenten aan Mat.
'Ja.'
'Goed. Afvoeren dan maar.'
'O, mag ik nog even wat zeggen!' zegt Nathan. De agenten staan
stil en Nathan wendt zich tot Carlos. 'Meneer uh... Van der Sloot,
geloof ik – ik wil u nog even mijn excuses aanbieden.'
Carlos kijkt verbijsterd.
'Omdat we de supersoaker hebben teruggestolen. Mijn vader zei
dat dat niet goed was. Ik had vanmiddag bij u langs willen gaan
om dat even te zeggen.'
Carlos antwoordt niet. Een van de agenten geeft hem een duwtje
tegen zijn schouder. 'Vooruit. Lopen maar.'

HOOFDSTUK 21.

Een half uur later zitten ze met z'n allen in een kamer in het het politiebureau. Tot Nathans verrassing zijn Robin, Tim, Arco, Janneke en Marieke er ook. Arco heeft Jaro meegenomen. Een agent heeft koffie en een schaal broodjes gehaald, en heeft er zelfs aan gedacht voor Jaro een grote bak water neer te zetten. Op een tafeltje in het midden staat de kooi met Pietie.

'Waar heb je mijn rugzak?' vraagt Tim. 'Dan kunnen we mijn speculaas opeten.'

'Oeps, wat dom nou toch! Helemaal vergeten!' zegt Nathan. Hij heeft een wit verband om zijn hoofd en ziet eruit alsof hij net ontsnapt is uit het ziekenhuis. 'Ik denk dat het nog ergens in die gang ligt. Hij is zeker van mijn rug gevallen toen ik werd neergeslagen.'

'Jammer,' zegt Tim, terwijl hij aan zijn vierde broodje begint. 'Ik zou nog wel wat lusten.'

Een oudere man met een vriendelijk gezicht komt de kamer binnen. Hij draagt geen uniform, maar een gewoon pak. Hij geeft iedereen een hand. 'Inspecteur Van de Broeke,' stelt hij zichzelf voor. Als hij de kring rond is, gaat hij achter een bureau zitten en zet een cassetterecorder aan.

'Zo, mensen,' zegt hij. 'We gaan de zaken eens even op een rijtje zetten. Een uur geleden kregen we een telefoontje van – even zien in mijn papieren, Arco Stellema. Dat ben jij, geloof ik?' Hij kijkt in de richting van Arco.

Arco knikt. 'Ik stond in die ondergrondse gang te wachten tot Nathan terug zou komen, en toen hoorde ik ineens dat er iets met hem gebeurde. En toen ben ik snel teruggegaan naar de kerk om de politie te bellen. Dat hadden we afgesproken.'

'Heel verstandig. Nou, nog geen minuut nadat jij gebeld had, kregen we een telefoontje van Mat Stevens. Hij is een oude bekende van ons. Hij vertelde ons over de plannen van Carlos Rivièra.'

'Carlos Rivièra!' roept meester Hakker verontwaardigd. 'Noemt hij zichzelf zo! Kars van der Sloot, zo heet hij! Pfff. Carlos Rivièra. Hoe komt hij erbij!'

De inspecteur glimlacht. 'Inderdaad, Kars van der Sloot is zijn eigenlijke naam. Maar hij is bij ons al jaren bekend onder de naam Carlos Rivièra, of Kale Carlos. Eerlijk gezegd dachten we dat hij zijn leven gebeterd had. Maar uit wat Mat ons vertelde bleek dat dat toch niet het geval was. Hij had het plan om Mat een inbraak te laten plegen in kasteel Arenshorst. Daarvoor had hij dus een ingang naar de ondergrondse gang laten graven. En omdat de toegang tot kasteel Arenshorst was afgesloten, hebben twee van zijn mensen die toegang steen voor steen losgebikt. Morgennacht moest het gebeuren.'

'Dus ze wilden het dorp niet opblazen!' zegt Tim teleurgesteld.

'En ze wilden helemaal niet in de kerk inbreken!' zegt Nathan.

'Nee. Carlos weet nogal veel van kunst. En de collectie van kasteel Arenshorst is bijzonder waardevol. Ik denk, als u mij niet kwalijk neemt, dominee, waardevoller dan wat er in de kerk te halen valt.'

Nathans vader grijnst. 'Dat betwijfel ik, eerlijk gezegd! Maar als het om geld gaat zal een inbraak in het kasteel inderdaad heel wat meer opbrengen.'

'Dat denk ik ook. Maar goed, ineens liep u daar door de gang. Hoe kwam u daar zo terecht?'

'Dat is een heel verhaal. Ik moet eerst de meisjes maar het woord geven, geloof ik,' zegt vader.

Janneke en Marieke vertellen over hun ontdekking in het kantoortje van Carlos. De jongens vullen het verhaal aan met een verslag van hun ontdekking van de geheime gang. En tenslotte vertelt vader wat hij en meester Hakker beleefd hebben.

'We zijn een eind die gang ingelopen, en ontdekten dat de jongens gelijk hadden. Er was inderdaad van bovenaf een nieuwe ingang gemaakt. We zijn toen nog een eindje verder gelopen om te kijken of er verder nog iets aan de hand was. En eerlijk gezegd...' vader kijkt naar meester Hakker, 'weet ik niet wat er toen precies gebeurd is. Alleen dat ik wakker werd op die harde vloer. Weet jij het?'

'Ik heb het ook niet gezien,' zegt meester Hakker. 'Maar we werden van achteren aangevallen. Volgens mij door twee mannen. Ze praatten nogal slordig, moet ik zeggen. Ze hebben ons aan elkaar vastgebonden en hadden het erover dat ze de baas moesten waarschuwen. En toen gingen ze weg.'

'En toen is Jaro de jongens gaan waarschuwen,' vertelt vader. 'En de rest weet u. Nathan is samen met Jaro naar ons op zoek gegaan.'

'En werd vervolgens ook neergeslagen,' zegt de inspecteur ernstig.

Nathan slaat zijn ogen neer. 'We hadden gelijk de politie moeten bellen.'

'Inderdaad. Jullie hebben geluk gehad.' De inspecteur zwijgt even. 'Trouwens, wij hebben ook geluk gehad. Dankzij jullie ontdekking is er een grote inbraak voorkomen.'

'Krijgt Carlos straf?' wil Tim weten.

De inspecteur glimlacht. 'Daar kan ik geen uitspraak over doen. Dat moet de rechter bepalen. Maar ik denk dat we dankzij Mat en dankzij jullie genoeg bewijs in handen hebben om hem voor jaren achter de tralies te krijgen.'

'Maar Mat dan?' vraagt Nathan. 'Die toch niet?'

'Mat zal wel voor de rechter moeten verschijnen,' zegt de inspecteur. 'Maar dan als getuige. Hij heeft ons uitstekend geholpen.'

'Gelukkig,' zucht Nathan. Hij is diep onder de indruk van de dappere man die het durfde op te nemen tegen Carlos. Wat die allemaal tegen Carlos durfde te zeggen! Jammer dat hij zijn snor niet ook nog eventjes heeft afgeknipt.

'Mat Stevens zei u toch?' zegt vader tegen de inspecteur. 'Ik had hem niet herkend in het donker. Die jongen heeft vroeger nog bij me op catechisatie gezeten. Een aardige knul. Zat op de mts. Altijd met sport bezig. Toen hij een jaar of zestien was kreeg hij helaas een paar verkeerde vrienden. Ik had hem jaren niet meer gezien. Ik dacht dat hij hier niet meer woonde.'

'Dat was ook zo,' zegt de inspecteur. 'Hij heeft een poosje bij ons gelogeerd. Nu woont hij al weer een jaar in het dorp. Het gaat prima met hem. Hij heeft een vrouw en een baby. Het is alleen jammer dat hij nog steeds geen baan heeft kunnen vinden. Dat is ook niet zo makkelijk als je hebt gezeten. Bedrijven zijn bang om zo iemand aan te nemen. Maar op die manier wordt zo'n jongen bijna gedwongen om zijn oude vak weer op te pakken. Het is bijzonder dat hij tegen Carlos in heeft durven gaan. Veel jongens in zijn situatie zouden bezweken zijn.'

Hij richt zich weer tot de hele groep. 'Het is bijna vijf uur. Ik denk dat we er voor vandaag mee gaan stoppen. Jullie hebben heel wat meegemaakt vanmiddag. Ga eerst maar eens naar huis om bij te komen. Als ik jullie nodig heb, weet ik jullie te vinden. Ik heb alle adressen, dacht ik... ja, inderdaad. Goed. Bedankt voor jullie medewerking.'

De inspecteur drukt op een knopje. Een agente komt binnen. 'Zou jij even een paar mensen thuis af kunnen zetten?' vraagt hij.

Ze knikt. 'Gaat u maar met mij mee. Acht personen? Dan zullen we de bus moeten nemen.'

'Die bus met tralies? Waar boeven ook in moeten? Gaaf!' roept Tim. Hij ziet het helemaal zitten om zo thuis afgeleverd te worden. 'Mag de sirene aan?'

'Grapjas! Onze fietsen staan voor het politiebureau!' zegt Robin.

'Drie personen en een hond,' zegt vader. 'De rest is op de fiets.'

'Prima,' zegt de agente. 'Ik zie u zo op het parkeerterrein.'

Druk pratend en lachend lopen de Misdaadmonsters met elkaar de trap af.

'Echt gaaf!' vindt Robin. 'We hebben een echte misdaad opgelost! Toch wel kicken!'

'Eigenlijk moeten je vader en meester Hakker ereleden worden,' zegt Arco. 'Vind je niet? Die hebben ons geholpen met speuren en zo.'

'Ik vind van niet,' zegt Nathan. 'Geen grote mensen in onze club. We hebben nu wel genoeg leden. Vind je niet, Jaro?'

Jaro blaft en kwispelt. 'Zie je wel? Hij is het helemaal met me eens.'

HOOFDSTUK 22.

E en kwartier later ligt Nathan thuis op de bank. Moeder heeft een plastic zak met ijsklontjes onder zijn hoofd gelegd, zodat de bult wat kleiner wordt, en Lisa heeft een deken voor hem gehaald. Samen vertellen vader en Nathan alles wat ze hebben meegemaakt. Lisa en moeder zijn diep onder de indruk.

'Ik wist niet dat ik zo'n stoere man had,' zegt moeder. 'En zo'n dappere zoon.'

'Cool hoor,' zegt Lisa. 'Ik ga iedereen in mijn klas vertellen dat je meester Hakker bevrijd hebt uit de handen van criminelen.'

'Doe maar niet,' zegt Nathan. 'Ik geloof niet dat ik daar erg populair van zal worden. Hoe was het, pap, om aan meester Hakker vastgebonden te zitten?'

'Mmmm, eerlijk gezegd vond ik het niet zo'n succes. Ik bedoel, hij is echt niet zo'n boeman als jullie ervan maken. Je kunt prima met hem praten. Maar er hangt zo'n vreemde lucht om die man heen! Toen ik bijkwam dacht ik even dat ik in bed lag met een pot pindakaas!'

Nathan lacht. 'Ik snap wat je bedoelt. Maar verder is hij best aardig.'

Nathan gaapt. Hij voelt plotseling hoe moe hij is. Zijn hoofd doet nog een beetje pijn, en er zitten blauwe plekken op zijn polsen. Niet te geloven wat hij vandaag heeft meegemaakt! Dat ze een echte misdaad hebben kunnen voorkomen! Hoe zou het afgelopen zijn als Mat er niet was geweest? Mat... een aardige man. Sterk! En helemaal niet bang voor Kale Carlos! Ineens schiet Nathan overeind. 'Au! M'n hoofd! Hé, pap, luister eens. Kunnen we niet wat doen voor die Mat? Ik vind het zo zielig dat hij geen baan kan vinden.'

'Ik heb er ook al over zitten denken,' zegt vader. 'Ik denk dat ik maar eens met hem moet gaan praten. Kijken of we hem op de een of andere manier aan een baan kunnen helpen. Het is natuurlijk te gek dat die jongen nergens aan de slag kan komen omdat hij ooit in de gevangenis heeft gezeten. Misschien kan Jan wel wat hulp gebruiken.'

'Of misschien hebben ze in het kasteel wel iemand nodig!' bedenkt Nathan. 'Iemand voor de beveiliging.'

'Daar zou hij inderdaad heel geschikt voor zijn. Ik ga morgen naar hem toe. Goed?'

'Zeg, dat misdaadgedoe van jullie,' zegt moeder, terwijl ze slagroom spuit in de bakjes met aardbeienijs die ze heeft klaargezet. 'Daar zijn jullie nu toch wel van genezen, hoop ik?' Ze zet de spuitbus neer, doet haar armen over elkaar en kijkt streng naar Nathan en zijn vader.

'Helemaal, Hilde,' zegt vader. 'Wees maar niet bang. Ik blijf voortaan op het rechte pad.'

'Eerlijk gezegd heb ik het vooral tegen die roodharige zoon van je die zijn mond vol met slagroom aan het spuiten is. Houd daar onmiddellijk mee op, Nathan!'

'Het spijt me, mam,' zegt Nathan met volle mond. 'Ik kan je niets beloven. Soms moet een misdaadmonster doen wat een misdaadmonster moet doen.'